Nordrhein-Westfalen

North Rhine-Westfalia
La Rhénanie-Westphalie

Nordrhein-Westfalen

North Rhine-Westfalia
La Rhénanie-Westphalie

Text von Günther Elbin

Stürtz – Deutsche Länder

4

Inhalt
Summary
Sommaire

*Oben: Reich verziertes Fachwerk in
der Altstadt von Bad Salzufeln.
Links: Im Bergischen Land bei
Altenberg.
Seite 1: Reger Schiffsverkehr in
Duisburg-Ruhrort.
Seite 2: Haus Engelborg bei Legden
im Münsterland.
Seite 3: Heute noch findet man zahl-
reiche Windmühlen, vor allem im
Münsterland und am Niederrhein.*

*Above: Richly ornamented timber-
ing in Bad Salzufeln's old town.
Left: Near Altenberg in the Bergisches Land.
Page 1: Busy river traffic in Duisburg-Ruhrort.
Page 2: House Engelborg near
Legden in Münsterland.
Page 3: Even today you can still see
many windmills, especially in Münsterland and on the Lower Rhine.*

*En haut: Maison à colombages,
richement décorée, dans la vieille
ville de Bad Salzufeln.
A gauche: Dans le Bergisches Land
vers Altenberg.
Page 1: Trafic fluvial intense à
Duisbourg-Ruhrort.
Page 2: Maison Engelborg vers
Legden, dans le Pays de Münster.
Page 3: Aujourd'hui encore, on
trouve de nombreux moulins à vent,
surtout dans le Pays de Münster et
dans la région du Rhin inférieur.*

Land der Vielfalt
A region full of colour and variety
Pays aux multiples visages

Nordrhein-Westfalen, eine Nachkriegsgründung. Ein Dekret der britischen Militärregierung vom 23. August 1946 verfügte den Zusammenschluß des nördlichen Teils der einstigen preußischen Rheinprovinz und der ebenfalls preußischen Provinz Westfalen, wozu dann ein halbes Jahr später noch das Ländchen Lippe-Detmold trat. So entstand auf einer Fläche von 34 072 Quadratkilometern das heute mit knapp achtzehn Millionen Einwohnern bevölkerungsreichste Land der Bundesrepublik Deutschland.

Ein Bundesland, drei Landesteile, aber zahlreiche Landschaften und Regionen – der Niederrhein, Münster- und Tecklenburger Land, das Ruhrgebiet, Sauer-, Sieger- und Bergisches Land, dazu die Regionen um Köln, Bonn und Aachen… Industrielle Ballungsräume und ländliche Zonen, Flachland und Waldberge, unterschiedliche Kulturen, ge-

North Rhine-Westphalia, a product of the post-war era. A decree by the British military government from 23rd August, 1946 united the northern part of the once Prussian Rhineland province with its equally Prussian neighbour, Westphalia, to which the Lippe-Detmold area was added half a year later. Thus the most densely-populated federal state in Germany today was born, covering an area of 34.072 km² with almost 18 million inhabitants. The white ribbon of the Rhine, against its green background,

La Rhénanie-Westphalie a été créée après la guerre. Un décret pris par le gouvernment militaire britannique le 23 août 1946 décida de réunir la partie nord de l'ancienne province de Prusse rhénane et la province de Westphalie, également prusse, provinces auxquelles le petit pays de Lippe-Detmold vint se joindre six mois plus tard. C'est ainsi que vit le jour le land le plus peuplé de la République fédérale d'Allemagne, qui compte aujourd'hui quelque 18 millions d'habitants pour une surface de 34 072 km². Avec le ruban blanc du Rhin encastré dans la verdure, le rouge coursier westphalien et la rose de Lippe, les trois parties du land se trouvèrent réunies dans les armoiries de la Rhénanie-Westphalie.

Un land, trois parties, mais de multiples paysages et régions – la région du Rhin inférieur, la région de Münster et de Tecklenburg, la Ruhr, le Sauerland, le Siegerland et le Ber-

Oben: Die Friedrich-Ebert-Brücke – Einfahrt zum Duisburger Hafen.
Links: Das Haus zu den fünf Ringen in Goch am Niederrhein.
Seite 6/7: Schloß Benrath (1755–73 erbaut) gilt als eines der schönsten Jagdschlösser des Rheinlandes.

Above: The Friedrich Ebert Bridge, entrance to Duisburg's inland harbour.
Left: The »House of Five Rings« in Goch on the Lower Rhine.
Page 6/7: Schloß Benrath (built between 1755–73) is considered one of the most beautiful hunting lodges in the Rhineland.

En haut: Le pont Friedrich-Ebert – entrée du port de Duisbourg.
A gauche: La maison aux cinq anneaux à Goch, au bord du Rhin inférieur.
Page 6/7: Le château de Benrath (construit entre 1755 et 1773) est considéré comme l'un des plus beaux pavillons de chasse de Rhénanie.

gensätzlich geprägte Geschichtsverläufe und verschiedenartige Temperamente. Ein Land der Vielfalt. Doch in den fünfzig Jahren seit der Gründung schwanden Abgrenzungen, irgendwie wuchs man zusammen, entwickelte ein Wir-Gefühl: »Wir in Nordrhein-Westfalen«.

Düsseldorf, die Hauptstadt, ist zweitgrößter Börsen- und Bankenplatz der Bundesrepublik, Stadt der Mode, ein von Chemie, Maschinenbau, Papier- und Glasproduktion geprägter Industriestandort, an dem dreitausend ausländische Unternehmen Niederlassungen unterhalten,

the red Westphalian steed and the rose of the Lippe, the emblems of the three areas, today appear united in the coat of arms of North Rhine-Westphalia.

North Rhine-Westphalia is one federal state with only three major regions, yet with numerous landscapes, such as the Lower Rhine, Münsterland and Tecklenburg areas, the Ruhr, Sauerland, Siegerland and Bergisches Land, the areas around Cologne, Bonn and Aachen... The spectrum ranges from major centres of industry to stretches of countryside, from lowlands to mountainous

gische Land, ainsi que les régions de Cologne, Bonn et Aix-la-Chapelle... Agglomérations industrielles et zones agricoles, pays plat et collines boisées, cultures variées, histoires opposées et tempéraments différents. Pays aux multiples visages. Dans les années cinquante, toutefois, les délimitations disparurent, les différentes parties se soudèrent d'une manière ou d'une autre, un nouveau sentiment fit son apparition, à savoir le »Nous autres Rhénans-Westphaliens«.

Düsseldorf, la capitale, est non seulement la deuxième place bour-

Oben: Schloß Dyck in Jüchen.
Rechts oben: Fronleichnams-
prozession bei Griethausen.
Rechts unten: Gnadenkapelle in
Kevelaer.

Above: Dyck Castle in Jüchen.
Above right: Corpus Christi proces-
sion near Griethausen.
Below right: Chantry chapel in
Kevelaer.

En haut: Château Dick à Jüchen.
En haut à droite: Procession de la
Fête-Dieu vers Griethausen.
En bas à droite: Chapelle de péleri-
nage à Kevelaer.

Sitz zahlreicher Konzerne und »Schreibtisch des Ruhrgebiets«, Stadt, in der bedeutende Kunstsammlungen und Galerien daheim sind – dies und noch viel mehr ist Düsseldorf, gleichermaßen am Rhein wie an der »Kö« gelegen.

Das monumentale Jan-Wellem-Denkmal und der runde Schloßturm sind die beiden Wahrzeichen der Stadt. Das bronzene Reiterdenkmal erinnert an Kurfürst Johann Wilhelm von der Pfalz, der seine Residenz Düsseldorf zur Stadt der Kunst und Künstler machte, und der Turm an das einstige Schloß der Herzöge von Kleve, Berg und Jülich.

Im Umkreis von Turm und Denkmal breitet sich auf nur einem Quadratkilometer mit gotischen und barocken Kirchen die historische Altstadt aus, zugleich aber auch mit über zweihundert Kneipen, Bistros, Pizzerien, Spezialitätenrestaurants, Imbißstuben, Schlemmerlokalen und Cafés die »längste Theke der Welt«.

Dagegen spiegelt sich drüben am linken Ufer die üppigst verschnörkelte und perfekt konservierte Gründerzeit-Architektur Oberkassels im Strom, »Düsseldorfs feinste Wohnadresse«, während sich am entgegengesetzten Ende der Altstadt mit Chic und Schaufensterglitzer die Königsallee hinzieht, die Kö, einer der mondänsten Boulevards Europas.

Zwischen zwei Strömen

Im Osten und Norden der Rhein, im Westen die holländische Grenze und

forests; there are many differnt cultures, diverse characters and temperaments, and a historical patchwork marked by war and conflict. It is a region full of colour and variety. Yet in the fifty years since its creation the barriers have gradually disappeared; somehow people have come together and have developed a sense of »us«, speaking of themselves as »we in North Rhine-Westphalia«.

Düsseldorf, the state capital, is the second largest stock market and banking centre in Germany. It is the

sière et financière de la République fédérale, mais aussi la capitale allemande de la mode, un centre marqué par la chimie, la construction mécanique, la production de papier et de verre. C'est également le siège de nombreux konzerns et le »bureau de la Ruhr«, une ville qui abrite de grandes collections artistiques et des galeries d'art réputées.

La Ville a deux emblèmes: la monumentale statue équestre de l'électeur Jan-Wellem et la tour ronde. Entre la tour et la statue équestre, la vieille ville historique s'étend sur

bald dahinter die Maas. Nach Süden verläuft die Begrenzung weniger eindeutig. Doch hat man sich unter Niederrheinern offenbar auf eine ungefähre Linie vom Rhein bei Düsseldorf bis zur Maas bei Roermond geeinigt.

Auf dieser Linie liegen Neuss mit seinem spätromanischen Münster St. Quirin aus der Zeit um 1200 und Mönchengladbach mit der nur wenige Jahrzehnte jüngeren Vituskirche. Krefeld nennt sich »eine Stadt wie Samt und Seide« und wurde durch die Textilindustrie groß und wohlhabend. Im nahen Kempen wurde um 1380 Tomas à Kempis geboren, der lange Zeit als Verfasser der »Nachfolge Christi« galt, während man heute der Ansicht ist, das nach der Bibel meistverbreitete religiöse Werk des Katholizismus sei

city of fashion, but also an industrial basin, home to the engineering and chemical industries, to paper and glass production for branches of three thousand foreign and numerous other concerns. It is the »office of the Ruhr« and houses important art collections and galleries. Düsseldorf, equally divided by the Rhine and the Königsallee, is this and much more.

Düsseldorf's city emblems are its majestic Jan Wellem monument and its round castle tower. The Gothic and Baroque churches of the historical old part of town, spread out beneath monument and tower, cover just 1 km². They share their territory with the »longest bar in the world«, namely with over two hundred pubs, bistros, pizzerias, speciality and gourmet restaurants, snack bars

un kilomètre carré, avec ses églises gothiques et baroques, mais aussi avec plus de 200 brasseries, bistros, pizzerias, restaurants à spécialités, snack-bars, tavernes et cafés; c'est le »plus long comptoir du monde«.

Sur la rive gauche du Rhin, l'archicture de la fin des années 1870, chargée de fioritures et parfaitement conservée, se reflète dans l'eau à Oberkassel, »la meilleure adresse de Düsseldorf«. A l'autre extrémité de la vieille s'étend la Königsallee, une avenue chic aux vitrines scintillantes, l'un des boulevards les plus mondains de toute l'Europe.

Entre deux fleuves

A l'est et au nord le Rhin, à l'ouest la frontière hollandaise et tout près, par derrière, la Meuse. Vers le sud, la limite est moins nette. Et pourtant, les Bas-Rhénans sont visiblement parvenus à s'entendre sur une ligne allant du Rhin, vers Düsseldorf, à la Meuse, vers Roermond.

Sur cette ligne se trouvent Neuss, avec sa cathédrale Saint-Quirinus, une basilique à trois nefs de style roman finissant fondée vers 1200, et Mönchengladbach, avec son église Saint-Vitus, légèrement plus récente. Krefeld, la »ville comme le velours et la soie«, a acquis importance et richesse grâce à son industrie textile. Tout près, à Kempen, est né vers 1380 Thomas à Kempis, qui fut longtemps considéré comme l'auteur de l'Imitation de Jésus-Christ.

C'est à Moers, ancienne place forte promenades abritées par de vieux arbres, que commença vers

1890, avec le creusage de la première mine, l'ère du charbon au bord du Rhin inférieur, période qui prit fin une centaine d'années plus tard. Au sud de Moers se trouve Linn, avec son château des archevêques et princes électeurs de Cologne. Au nord de Moers, Orsoy se cache derrièe de hautes levées: toits recouverts de mousse, girouettes, balustrades et volutes, cimes d'arbres et, au-dessus, un clocher pointu.

äteren Ursprungs und Thomas habe ihm durch eine Neufassung lediglich jene Form gegeben, in der es sodann seine weite Verbreitung fand.

Der Niederrhein hat viele Gesichter

In den Rheinauen von Duisburg bis Kranenburg treffen in jedem Herbst zigtausende Wildgänse ein – Wintergäste aus Skandinavien und Sibirien. Trutzige Stadttore gibt es in Kempen, Viersen, Goch und anderswo. Die mittägliche Verschlafenheit der von altehrwürdigen Häusern des 16. und 18. Jahrhunderts umrahmten Marktplätze in Uerdingen, Wachtendonk, Rheinberg oder Straelen und der alles andere als stille Wallfahrtsort Kevelaer, der fünftgrößte der katholischen Chri-

and cafés. On the left bank of the Rhine in Düsseldorf-Oberkassel, »Düsseldorf's most prestigious residential address«, the lavishly ornate and perfectly preserved late nineteenth-century Gründerzeit architecture is proudly reflected in the river. In a similar vein, the Königsallee, nicknamed the »Kö« and one of the most stylish boulevards in Europe, elegantly sprawls through the other end of the old town with its glittering window displays.

Between two rivers

In the east and north of the Lower Rhineland is the Rhine; to the west is the Dutch border and just beyond it the Maas river. Its southern boundaries are less distinct, yet Lower Rhinelanders have obviously managed to agree on a rough line from the

Le Cours inférieur du Rhin a de nombreux visages

Dans les prairies au bord du Rhin, de Duisbourg à Kranenburg, arrivent chaque année des milliers d'oies sauvages venues de Scandinavie et de Sibérie pour hiverner. Kempen, Viersen, Goch etc. sont munies de portes défensives. A Uerdingen, Wachtendonk, Rheinberg ou Straelen, les places de marché bordées de maisons des 16e, 17e et 18e siècles ont l'air endormies, alors que Kevelaer est très fréquentée.

Les tours et ailes des châteaux-forts, comme Schloss Haag, à Geldern, Schloss Wissen, à Weeze, et Schloss Moyland, musée Josef-Beuys, à mi-chemin entre Kleve (Clèves) et Kalkar, sont encadrées de fossés remplis de nénuphars, de lentilles d'eau et de grenouilles

Oben: Schloß Moyland (Beuys-Museum) – hier fand 1740 die berühmte Begegnung Friedrichs des Großen mit Voltaire statt.
Links: Die Jagdschloß-Küche der Burg Linn in Krefeld.

Above: Moyland Castle (Beuys Museum); it was here in 1740 that Frederick the Great's famous meeting with Voltaire took place.
Left: The kitchen of Castle Linn's hunting lodge in Krefeld.

En haut: Château Moyland (Musée Beuys) – c'est ici qu'eut lieu la célèbre rencontre entre Frédéric le Grand et Voltaire en 1740.
A gauche: Cuisine du pavillon de chasse Burg Linn à Krefeld.

stenheit, wo sommertags unablässig singende und betende Prozessionen ein- oder ausziehen.

Die von Wassergräben voller Teichrosen, Entengrütze und quakender Frösche umzingelten Türme und Trakte wehrhafter Burgen wie Schloß Haag bei Geldern, Schloß Wissen bei Weeze und das Josef-Beuys-Museum Schloß Moyland halbenwegs zwischen Kleve und Kalkar. In Kalkar das gotische Rathaus am Markt, und ein paar Schritte weiter St. Nikolai mit seinen sieben berühmten, die Passion Christi oder das Marienleben in bewegenden Bildern schildernden Schnitzaltären aus der Zeit um 1520. In Xanten waren vom ersten vor- bis zum vierten nachchristlichen Jahrhundert die Römer daheim, und der zu einem großen Teil aus Quadern einstiger Römerbauten errichtete Dom erhebt sich über einem Märtyrergrab der Römerzeit.

Am Niederrhein fädeln sich die wichtigsten Rheinstädte am rechten Ufer auf: Außer Düsseldorf noch Duisburg, Wesel, Rees und Emme-

Rhine in Düsseldorf to the Maas in Roermund.

Neuss, with its late Romanesque minster from 1200, St. Quirin, lies on this imaginary line, as does Mönchengladbach with its Church of St. Vitus, a few decades younger than its Neuss counterpart. Krefeld describes itself as »the city in silks and satins« and became prosperous through its textile industry. In nearby Kempen, Thomas à Kempis was born in ca. 1380 and was long thought to be the author of the original »Nachfolge Christi«.

croassantes. A Kalkar, l'hôtel de ville gothique est situé sur la pittoresque place du marché et l'église Saint-Nicolas, dans laquelle se trouvent sept célèbres autels sculptés vers 1520, se dresse un peu plus loin. Les Romains étaient installés à Xanten du premier siècle av.-J.C. jusqu'au quatrième siècle apr.-J.C., et la cathédrale Saint-Victor a été construite sur un tombeau de martyrs de l'époque romaine.

Sur le cours inférieur du Rhin, Düsseldorf et Duisbourg, Wesel, Rees et Emmerich se suivent sur la

rich. In Duisburg-Ruhrort befindet sich an der Ruhrmündung mit Dutzenden von Hafenbecken, Verladeeinrichtungen und Terminals Europas größter Binnenhafen, ein Seehafen im Binnenland – über den Rhein quer durch Holland zugänglich für Seefrachter aus Nord- und Ostsee und dem Mittelmeer...

Auf der Kuppe des steilen, bewaldten Eltenbergs thront die mittelalterliche Stiftskirche von Hochelten. Weit schweift von hier der Blick nach Holland hinein und über den Strom hinweg zum fern am Horizont sich auftürmenden Kleve. Dort steht auf ähnlich steiler Klippe die Schwanenburg, wo nach der Legende Elsa von Brabant und der Schwanenritter Lohengrin lebten.

In the once-fortified town of Moers, with its shady embankment walks under ancient trees, the sinking of the first pit in 1890 marked the arrival of the coal industry to the Lower Rhine, which just one hundred years later has almost died out. South of Moers is Linn and the ivy-covered castle of the Cologne archbishops and electors. North of Moers, Orsoy lies hidden behind high dikes, revealing only its mossy roofs, weather cocks, voluted crow-step gables and treetops, all crowned by the pointed church steeple.

rive droite. Duisbourg-Ruhrort est dotée de douzaines de bassins portuaires, de ports de chargement et de terminaux: c'est le plus grand port fluvial d'Europe, un port de mer à l'intérieur, accessible aux cargos venus de la mer du Nord, de la Baltique et de la Méditerranée sur le Rhin et au travers de la Hollande... Quand on descend de fleuve, on arrive à Wesel, ville fortifiée sur le Rhin... Peu après, on aperçoit les tours jaune clair et le toit vert de l'église de Rees construite »dans l'esprit de Schinkel«, tandis que surgissent sur la rive d'Emmerich, l'église Saint-Martin, dans le sévère style gothique de la région du Rhin inférieur et l'église Sainte-Aldegundis, dans le gracieux style gothique flamand.

Oben: Abendnebel bei Wesel.
Links oben: Im Duisburger Hafen.
Links unten: Industrie und Arbeitersiedlung in Duisburg.

Above: Evening mist near Wesel.
Above left: In Duisburg's river port.
Below left: Industry and a worker's estate in Duisburg.

En haut: Brouillard vespéral vers Wesel.
En haut à gauche: Port de Duisbourg.
En bas à gauche: Industrie et cité ouvrière à Duisbourg.

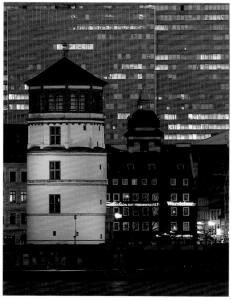

Düsseldorf, Hauptstadt des Landes Nordrhein-Westfalen, zeigt seine Schauseite, die Rheinpromenade (oben). Neben dem Fernsehturm (unten Mitte) prägen die Hochhäuser von Verwaltung und Handel die Skyline (unten links). Der Schloßturm (unten rechts) ist das Überbleibsel des 1872 niedergebrannten Schlosses aus dem 13. Jahrhundert.

Düsseldorf, state capital of North Rhine-Westphalia, parades its good side, the Rhine Promenade (above). Around the television tower (below centre), the tall office blocks of the administrative and business worlds crowd the skyline (below left). The palace tower (below right) is the only remaining feature of an earlier thirteenth-century castle which burned down in 1872.

Düsseldorf, capitale du land de Rhénanie-Westphalie, montre son beau côté, la promenade au bord du Rhin (en haut). A côté de la tour de la télévision (en bas, au centre), les édifices de l'administration et du commerce donnet leur empreinte à la skyline (en bas à gauche). La tour (en bas à droite) est un reste du château du 13e siècle, qui fut la proie des flammes en 1872.

Die Königsallee – oder kurz »Kö« –
ist Düsseldorfs elegante Flanier-
und Einkaufsmeile.

*The Königsallee, or »Kö« for short,
is Düsseldorf's most elegant boule-
vard for shopping or just a stroll.*

*La Königsallee ou »Kö«, à Düssel-
dorf, est une élégante avenue où l'on
peut flâner et faire ses achats.*

Ein beliebter Treffpunkt ist die
Burgplatzterrasse mit dem Rad-
schlägerbrunnen in der Düsseldorfer
Altstadt.

A favourite meeting place is the
terrace on Castle Square with its
cartwheel fountain in Düsseldorf's
old part of town.

La Burgplatzterrasse et la fontaine,
où les »Radschläger« font la roue,
dans la vieille ville de Düsseldorf.

Die Düsseldorfer Altstadt oder:
die »längste Theke der Welt« –
über 250 Lokale drängen sich hier.
Eines der bekanntesten ist das
»Uerige« (rechts).

Düssledorf's old town or »the
longest bar in the world« – over
200 pubs and bars jostle for space
here. One of the best-known is the
»Uerige« (right).

Dans la vieille ville de Düsseldorf,
également appelée le »plus long
comptoir du monde«, se côtoient
plus de 250 cafés et restaurants.
L'un des plus connus est le »Uerige«
(à droite).

Die typisch niederrheinische Landschaft: weit und eben, durchzogen
von Flüssen, Bächen und Altwassern
(oben bei Xanten). Bei Kleve (unten)
sind die Rastplätze der Graugänse
auf ihrem Zug nach Süden.

A typical Lower Rhine landscape;
wide and flat, riddled with rivers,
streams and ox-bow lakes (above
near Xanten). Greylag geese near
Kleve (below).

Paysage typique de la région du
Rhin inférieur: vaste et plat, sillonné
de fleuves, rivières et eaux mortes
(en haut vers Xanten).

23

Kleve – die Schwanenburg, wo der
Legende nach Elsa von Brabant und
Lohengrin lebten.
Von der alten Burganlage aus dem
11. Jahrhundert ist nichts erhalten,
die heutigen Gebäude stammen aus
dem 15. Jahrhundert.

Kleve – Schwanenburg Castle,
where legend has it that Elsa von
Brabant and Lohengrin lived.
Nothing remains of the original
eleventh-century castle; the buildings which can be seen today are
from the fifteenth century.

Kleve – le Schwanenburg, où, selon
la légende, vivaient Elsa de Brabant
et Lohengrin. Il ne reste rien de
l'ancien château-fort du 11e siècle,
les bâtiments actuels datent du
15e siècle.

Colonia Ulpia Traiana, eine römische Zivilstadt mit 10 000 Einwohnern (100 n.Chr.). Das Grabungs-
gelände ist heute »Archäologischer
Park«, der beispielhaft das Leben
der Römer nördlich der Alpen darstellt. Der Dom von Xanten (unten)
zählt zu den bedeutendsten Kirchen-
bauten am Niederrhein.

Colonia Ulpia Traiana, a Roman
civilian town with 10,000 inhabitants (100 A.D). The excavated site
is now an »Archaeological Park«,

which is exemplary in its depiction
of Roman life north of the Alps.
Xanten's cathedral (below) counts
as one of the Lower Rhine's most
important ecclesiastical buildings.

Colonia Ulpia Traiana, ville civile
romaine de 10 000 habitants (100
après J.C.). Le terrain de fouilles est
aujourd'hui un »parc archéologique«
qui représente de manière exemplare
la vie des Romains au nord des
Alpes. La cathédrale de Xanten
(en bas).

27

Der Duisburger Hafen ist der größte Binnenhafen Europas und der größte Flußhafen der Welt.
Seite 29: Blick von der Rheinbrücke von Emmerich.

Duisburg's port is Europe's largest inland harbour and the largest river port in the world.
Page 29: View of Emmerich from the Rhine bridge.

Le port de Duisbourg est le plus grand port intérieur d'Europe et le plus grand port fluvial du monde.
Page 29: Vue d'Emmerich depuis le pont sur le Rhin.

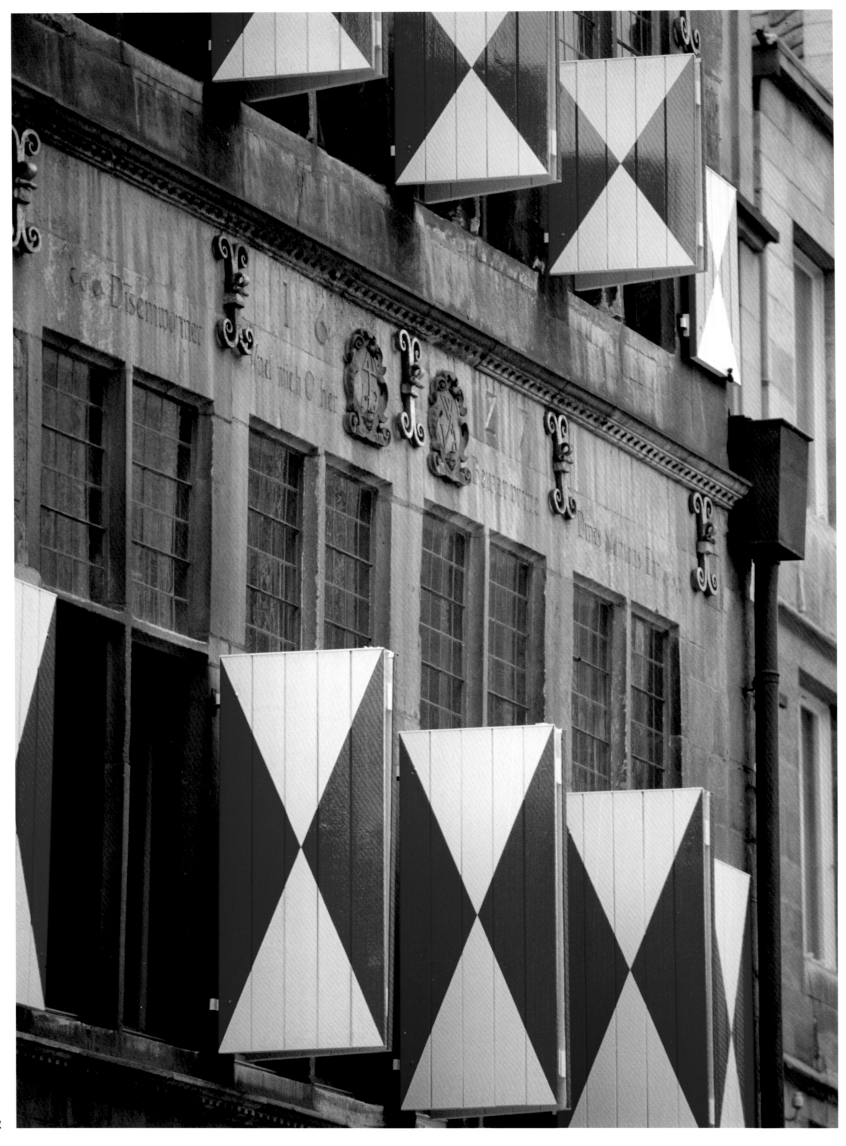

Im Münsterland
In Münsterland
Le Pays de Münster

Dorfkirchen mit romanischen Portalen, verblaßten Fresken und stumpfen Feldsteintürmen, Wasserschlösser mit reichem Renaissancezierat an Erkern, Simsen und Giebeln und schwarzweiße Fachwerkgehöfte in einem Kranz knorriger Eichen, unter denen sich im Herbst Schweine an Eicheln mästen, was dann den beliebten westfälischen Schinken ergibt. Flüßchen wie Aa, Ems, Issel oder Lippe, die sich durch Äcker und Weiden schlängeln. Dann das Zwillbrocker Venn bei Vreden, ein Moorgebiet mit längst eingestelltem Torfabstich und nunmehr ein Vogelparadies, oder das Merfelder Bruch bei Dülmen, Heimat der kleinen, zähen herzoglich-croyschen Wildpferde.

Im Münsterland führen alle Wege nach Münster. Schaut man auf die Karte, erkennt man, wie alle Chausseen in Münster zusammenlaufen oder von Münster ausstrahlen. Ludger – um das Jahr 790 von Karl dem Großen mit der Christianisierung

Münsterland is village churches with Romanesque portals, faded wall paintings and stubby towers made of boulders; it is moated castles and palaces with ornate Renaissance decoration on oriels, mouldings and gables. It is black-and-white timbered farmsteads ringed by gnarled oak trees, under which pigs feed on acorns in the autumn, adding that special flavour to the much-loved Westphalian bacon. Rivulets such as the Aa, Ems, Issel and Lippe wind through its fields and meadows. Near Vreden, the Zwillbrocker Fen, moorland where

Partout des églises de village au portail romantique, des fresques défraîchies et des tours en moellons, des châteaux à douves avec encorbellements, des corniches et des pignons aux riches décorations Renaissance, des métairies à colombages noirs et blancs entourées de chênes noueux sous lesquels les porcs cherchent des glands en automne. Des rivières telles que l'As, l'Ems, l'Issel ou la Lippe serpentent au travers des champs et des prairies. C'est aussi le Zwillbrocker Venn, près de Vreden, une région marécageuse et qui est devenue un paradis pour les oiseaux; ou encore le Merfelder Bruch, près de Dülmen, une réserve de petits chevaux sauvages.

Dans le pays de Münster, tous les chemins mènent à Münster. Si l'on regarde bien la carte, on voit en effet que toutes les routes convergent à Münster ou partent de Münster, L'évêque Ludger – chargé par Charlemagne vers 790 de christianiser cette région assujettie penant la

Oben: Wirtshausschild in Münster.
Links: Ein prächtiges Bürgerhaus in Münster (17. Jahrhundert).
Seite 31/32: Das Münsterland bei Mettingen.

Above: Pub sign in Münster.
Left: A magnificent town house in Münster (seventeenth century).
Page 31/32: Münsterland near Mettingen.

En haut: Enseigne d'auberge à Münster.
A gauche: Superbe maison bourgeoise à Münster (17e siècle).
Page 31/32: Le Pays de Münster vers Mettingen.

dieser gerade erst im Krieg gegen Widukind unterworfenen Region betraut – erkannte die günstige Lage einer kleinen sächsischen Siedlung am Aa-Ufer und erkor sie zum Bischofssitz. Das war die Geburtsstunde der Stadt.

Der im Laufe der Jahrhunderte veränderte, im Zweiten Weltkrieg schwer beschädigte und danach wieder aufgebaute Paulus-Dom stammt in seinem ältesten Teil noch aus dem 13. Jahrhundert. Der Prinzipalmarkt mit seinen Arkaden ist die »gute Stube« Münsters. Das Rathaus mit seinem eindrucksvollen Staffel- und Fialengiebel zählt zu den bedeutendsten gotischen Profanbauten Deutschlands. In seinem seither Friedenssaal genannten Ratssaal beendete man 1648 endlich den Dreißigjährigen Krieg.

peat used to be cut, is now a paradise for birds. The marshland at Merfelder Bruch near Dülmen is home for sturdy wild ponies, property of local dukes. All this is Münsterland.

In Münsterland all roads lead to Münster. A glance at a map will reveal how all avenues merge in Münster or spread away from the city. Charlemagne, who in 790 conquered the region in the war against Widukind, entrusted Ludger with the Christianization of the area. Ludger took advantage of the excellent position of this small Saxon settlement on the banks of the Aa and elected it a diocesan town. In this hour, Münster was born.

St. Paul's Cathedral has been much altered through the centuries. Destroyed in the Second World War

guerre contre Widukind – reconnut la situation favorable d'une petite agglomération saxonne sur la rive de l'Aa et y fonda un évêché.

La cathédrale Saint-Paul, qui fut modifiée à plusieurs reprises et fort endommagée au cours de la Seconde Guerre mondiale, puis reconstruite, date du XIIIe siècle pour ce qui est de sa partie la plus ancienne. Le Prinzipalmarkt bordé d'arcades est la rue la plus chargée d'histoire de Münster. Avec son imposante façade à pignon, l'hôtel de ville fait partie des plus belles oeuvres de l'architecture civile gothique. Le Traité de paix de 1648 qui mettait fin à la Guerre de Trente Ans fut signé dans la salle du conseil, depuis longtemps appelée salle de la paix.

Au nombre des bâtiments prestigieux de Münster, on compte le châ-

Zu den festlichsten Bauten Münsters zählen das fürstbischöfliche Schloß (heute Universität) mit seinem überaus prächtigen Mittelrisalit und der Erbdrostenhof mit dem noblen Cour d'honneur vor der sanft gerundeten Gebäudefront. Beide sind Schöpfungen Johann Conrad Schlauns (1694–1773), der nach einem Ausspruch Schinkels das Münsterland »in eine der nobelsten Schloßlandschaften Deutschlands verwandelte«. Vierundzwanzig Bauten, nicht allein in und um Münster, sondern ebenso in Bonn, Brühl und im Emsland, stammen von Schlaun oder wurden von ihm umgestaltet, erweitert oder vollendet, darunter die münsterländischen Schlösser Ahaus, Velen, Itlingen, Darfeld, wo er die Antoinettenburg hinzufügte, und das »westfälische Versailles« Nordkirchen. Für sich erbaute er als Landsitz das kleine, entzückende, »bloß eine Reitstunde von Münster entfernte« Rüschhaus bei Nienberge, später über lange Jahre Wohnsitz Annette von Droste-Hülshoffs.

Östlich von Münster liegt der Wallfahrtsort Telgte mit dem Bild einer Schmerzhaften Madonna aus dem 14. Jahrhundert. Das benachbarte Warendorf kennt jeder Reiter: als Landgestüt, Sitz des deutschen Olympischen Komitees für Reite-

it was rebuilt, yet the oldest parts of the building are thirteenth-century. The Prinzipalmarkt with its arcades is Münster's »parlour«. The town hall with its impressive crow-step and pinnacle gables is one of the most important Gothic secular buildings in Germany. The Thirty Years' War was finally ended in its Ratsaal in 1648 and has since then been renamed the Friedenssaal, the »Chamber of Peace«.

The Prince-Bishop's Palace (now the university) with its splendid middle projection and the Erbdrostenhof Palace with its elegant cour d'honneur in front of a gently rounded façade are among some of Münster's more magnificent buildings. Both are the creation of Johann Conrad Schlaun (1694–1773) who, according to Schinkel, »transformed

teau des princes-évêques, qui abrite actuellement l'université et a une façade à trois corps fort élégante, ainsi que l'Erbdrostenhof, palais à majestueuse façade concave et avant-cour triangulaire. Tous deux sont des créations de Johann Conrad Schlaun (1694–1773) qui, selon Schinkel, transforma le Pays de Münster en »l'un des plus beaux paysages de châteaux de toute l'Allemagne«. Vingt-quatre constructions, à Münster, à Bonn, à Brühl et dans l'Emsland, furent conçues transformées, agrandies ou terminées par Schlaun. Parmi elles, les châteaux de Ahaus, Velen, Itlingen, Darfeld, où il ajouta le château d'Antoinette, ainsi que Nordkirchen, le »Versailles westphalien«. Il construisit pour ses besoins personnels le ravissant petit château de Rüschhaus, près de

Oben: Der Friedenssaal im Rathaus von Münster – hier wurde durch die Unterzeichnung des »Westfälischen Friedens« der 30jährige Krieg beendet.
Links: Fürstbischöfliches Residenzschloß von Münster (1767).

Above: The Friedenssaal or Chamber of Peace in Münster's town hall. It was here that the Thirty Years' War was ended with the signing of the »Westphalian Peace Treaty«.
Left: The Prince-Bishop's Residential Palace in Münster (1767).

En haut: La »Salle de la Paix« de l'hôtel de ville de Münster – c'est là que fut terminée la guerre de Trente Ans lors de la signature de la »Paix de Westphalie«.
A gauche: Château des princes-évêques de Münster (1767).

rei und wegen seiner berühmten Hengstparaden alljährlich im Oktober. Weit im Westen dagegen, schon nahe dem Niederrhein, liegt die Textilstadt Bocholt mit dem Rathaus von 1624 im Stil dekorfreudigster niederländischer Backstein-Renaissance. Zu den ältesten Sakralbauten Westfalens gehört die frühromanische Bonifatiuskirche in Freckenhorst – eine kreuzförmige Basilika mit fünf Türmen, deren älteste Teile um 1090 entstanden sind.

»Met de Rädkes op de Pädkes« – mit dem Fahrrad auf stillen Feld- und Waldwegen. Birken am Wegrand, am Himmel ein Bussard, eine Lichtung, wo Rehe herüberblicken. Oder auf solchen Pfaden zu Pferd. Der gedämpfte Hufschlag auf dem weichen Boden, das Knirschen des Sattelzeugs, das zufriedene Schnauben des dahintrabenden Pferdes. Und vielleicht läuft nebenher ein braunweißer Jagdhund, ein »kleiner Münsterländer«.

Die ältesten Teile der Steinfurter Burg mit ihrer stimmungsvollen Kapelle entstanden bereits in roma-

[Münsterland] into one of the finest palace regions in Germany«. Schlaun is credited with building, rebuilding or completing twenty-four such stately homes, not just in and around Münster, but also in Bonn, Brühl and Emsland. In Münsterland itself he worked on the houses at Ahaus, Velen, Itlingen and Darfeld, to which he added the »Antoinette Palace«, and on the »Westphalian Versailles« at Nordkirchen. For himself he built a country residence near Nienberge, the Rüschhaus, small yet charming and »only an hour away from Münster on horseback«. This was later to become the home of Annette von Droste-Hülshoff.

East of Münster is the pilgrimage town of Telgte with its fourteenth-century panel of the Suffering of the Virgin Mary. The neighbouring village of Warendorf is known to horse-riders for its stud farm, as the seat of the Olympic Riding Committee and for its famous stallion shows every October. Far to the west of here, near to the Lower Rhine, lies

Nienberge, »à une petite heure de cheval de Münster«, qui devait devenir la demeure d'Annette von Droste-Hülshoff.

Telgte, lieu de pélerinage à l'est de Münster, honore une pièta du 14e siècle. Warendorf est connu de tous les cavaliers: comme haras, siège du comité olympique pour la cavalerie et lieu où se déroulent de célèbres parades d'étalons, tous les ans au mois d'octobre. Plus loin à l'ouest, se trouve la ville textile de Bocholt dont l'hôtel de ville fut érigé en 1624 dans le style de la Renaissance néerlandaise de briques. Au nombre des plus anciens bâtiments sacrés de la Westphalie, on compte l'église Saint-Boniface, à Freckenhorst – une basilique en forme de croix, avec cinq tours dont les parties les plus anciennes furent érigées vers 1090.

»Met de Rädkes op de Pädkes« – il fait bon circuler à bicyclette, ou à cheval, sur des chemins tranquilles, à travers champs et forêts. Le chemin est bordé de bouleaux, un bussard tournoie dans le ciel, des che-

nischer Zeit. Die »Hohe Schule« von Burgsteinfurt, gegründet 1592 und heute Rathaus, war einst die wichtigste protestantische Hochschule ganz Nordwestdeutschlands.

Urkundlich wurde Schöppingen schon 838 erwähnt. Ebensoweit reichen die Anfänge der auf einer ehemals befestigten Erhebung über einer Quelle erbauten Pfarrkirche St. Brictius zurück, einer assymmetrischen zweischiffigen Hallenkirche mit romanischem Giebelturm. Im Innern findet man an Wänden und in Gewölben zahlreiche figürliche und ornamentale Fresken aus den Jahren um 1530 und einen um 1460 gemalten Flügelaltar, dessen nicht eindeutig identifizierter Schöpfer als »Meister von Schöppingen« bezeichnet wird.

Auf der Mitteltafel sieht man den Kalvarienberg, auf den Außentafeln Verkündigung und Geburt Christi und auf den Innentafeln Passion, Auferstehung und Pfingstwunder. Weit über den religiösen Gehalt hinaus aber erregen die Bilder kulturgeschichtliches Interesse als genaue Darstellungen der Menschen und ihres Lebensumfeldes in der Entstehungszeit des Schöppinger Altars.

the town of Bocholt, well-known for its textile industry, with its town hall from 1624, built in the decorative style of the Dutch Renaissane. The early Romanesque Church of St. Boniface in Freckenhorst is one of the oldest sacred buildings in Westphalia. It is a basilica built in the form of the cross with five towers; the oldest parts of the church are from ca. 1090. St. Felicitas in Vreden is not much younger, yet has no towers; it is a Romanesque unaisled hall church with a Gothic ridge turret and an undercroft with three aisles, where one can see interesting capitals decorated with intertwining arabesques and strange heads.

vreuils paissent dans une clairière. Josef Winckler, auteur de »L'Extravagant Bomberg«, roman picaresque typique du Pays de Münster, est né à Rheine, sur l'Ems.

La ville de Schöppingen est évoquée pour la première fois dans un document de 838. La fondation de l'église paroissiale de Saint-Bricitius date à peu près de la même époque. Dans la grande salle avec pignon roman, les murs et les voûtes sont décorés de fresques avec figures et ornements datant de 1530 environ, ainsi que d'un triptyque peint vers 1460 et dont le créateur, le »Maître de Schöppingen«, n'a pu être identifié avec certitude.

Oben: Im 15. Jahrhundert entstand das bekannte Altarbild der St.-Brictius-Kirche in Schöppingen.
Seite 36 links: Am Prinzipalmarkt in Münster.
Seite 36 rechts: Das Rathaus von Schöppingen (1583).

Above: In Schöppingen, St. Brictius' famed altarpiece originates from the fifteenth century.
Page 36 left: On the Prinzipalmarkt in Münster.
Page 36 right: Schöppingen's town hall (1583).

En haut: Le célèbre tableau d'autel de l'église St-Brictius, à Schöppingen, fut créé au 15ᵉ siècle.
Page 36 à gauche: »Prinzipalmarkt«, à Münster.
Page 36 à droite: Hôtel de ville de Schöppingen (1583).

*Münster – der Dom St. Paul ent-
stand am Ausgang des 12. Jahrhunderts und zählt zu den besten
architektonischen Leistungen in
Deutschland.*

*Münster – St. Paul's Cathedral ori-
ginates from the thirteenth century
and is considered one of Germany's
best architectural achievements.*

*Münster – le cathédrale St-Paul fut
créé à la fin du 12e siècle et est l'une
des plus belles prestations
architectoniques allemandes.*

*Die Lambertikirche am Prinzipal-
markt in Münster.
Unten: An der Westseite des Turms
sind die Käfige zu sehen, in denen
1536 die Wiedertäufer gefangen-
gehalten wurden.*

*St. Lamberti on the Prinzipalmarkt
in Münster.
Below: On the west side of the*
*tower you can still see the cages
in which the Anabaptists were kept
prisoner in 1536.*

*Eglise St Lamberti sur le Prinzipal-
markt, à Münster.
En bas: Sur la façade ouest de la
tour, on peut voir les cages dans
lesquelles les anabaptistes furent
emprisonnés en 1536.*

*Links: Das Rathaus zu Münster
ist einer der bedeutendsten Profanbauten der Gotik in Deutschland.
Oben: Münster wurde für seine
umweltpolitischen Maßnahmen –
Ausbau der Radwege und des öffent-
lichen Nahverkehrs – prämiert und
avancierte zur »Öko-Stadt«.*

*Left: The town hall in Münster is
one of the most significant secular
buildings of the Gothic period in
Germany.
Above: Münster was presented with
an award for its environmentally-
friendly policies, i.e. the extension
of cycle paths and local public
transport, and became an »Ecological City«.*

*A gauche: L'hôtel de ville de Mün-
ster est l'une des plus belles oeuvres
de l'architecture civile gothique
allemande.
En haut: La ville de Münster a reçu
un prix pour les mesures prises dans
le domaine de l'environnement –
construction de pistes cyclables et
développement du trafic de banlieue
– et est devenue une »ville écolo-
gique«.*

*Rechts: Gestüt bei Lüdinghausen.
Seite 43: Im Merfelder Bruch bei
Dülmen hat sich das einzige Wild-
pferdegestüt Europas erhalten. Jedes
Jahr am letzten Samstag im Mai
findet der Wildpferdefang statt –
einjährige Hengste werden gefangen
und meistbietend versteigert.*

*Right: A stud farm near Lüdings-
hausen.
Page 43: In the Merfelder Bruch near
Dülmen Europe's only remaining
stud farm for wild horses can still
be found. Every year on the last
Saturday in May, wild, year-old
stallions are captured and sold to
the highest bidder.*

*A droite: Haras vers Lüdinghausen.
Page 43: L'unique haras de chevaux
sauvages de toute l'Europe se trouve
dans le Merfelder Bruch, près de
Dülmen. Chaque année, le dernier
samedi du mois de mai, on capture
des chevaux sauvages – on attrape
des étalons de un an pour les vendre
aux enchères.*

Über 100 Wasserschlösser, Burgen und Herrensitze gibt es im Münsterland: Oben links: Burg Anholt Oben rechts: Wasserschloß Raesfeld Unten und Mitte: Burg Vischering.

There are over 100 moated palaces, castles and manor houses in Münsterland.
Above left: Anholt Castle.
Above right: Raesfeld Castle.
Below and centre: Vischering Castle.

Le Pays de Münster comprend plus de 100 châteaux à douves, châteaux-forts et manoirs:
En haut à gauche: Château-fort de Anholt. – En haut à droite: Château à douves de Raesfeld.
En bas et au centre: Le château de Vischering.

Oben links: Burg Hühlshoff
Oben rechts: Die Wasserburg Stein-
furt ist auf zwei Inseln der Aa
erbaut. Die ältesten Teile der Anlage
entstanden im 12. Jahrhundert.

Above left: Hühlshoff Castle.
Above right: Moated Steinfurt
Castle is built on two islands in
the Aa river. The oldest parts of the
complex are twelfth century.

En haut à gauche: Château-fort de
Hühlshoff.
En haut à droite: Le château à
douves de Steinfurt est construit
sur deux îles situées sur l'Aa. Les
parties les plus anciennes ont été
créées au 12e siècle.

*Das Wasserschloß Nordkirchen
wurde im 18. Jahrhundert erbaut
und von Zeitgenossen bewundernd
das »westfälische Versailles«
genannt.*

*Nordkirchen Palace was built in the
eighteenth century and termed the
»Westphalian Versailles« by admir-
ing contemporaries.*

*Le château à douves de Nordkirchen
fut construit au 18ᵉ siècle et admiré
comme »Versailles westphalien«.*

Oben: Das Torhaus von Burg Stein-
furt bei Burgsteinfurt.
Rechts: Die St.-Brictius-Kirche in
Schöppingen – im Innern befindet
sich das berühmte Altarbild des
»Meisters von Schöppingen«.

Above: The gatehouse of Steinfurt
Castle near Burgsteinfurt.
Right: St. Brictius in Schöppingen,
containing the famous altarpiece by
the »Master of Schöppingen«.

En haut: Le porche du château-fort
de Steinfurt, vers Burgsteinfurt.
A droite: Eglise St-Brictius à Schöppingen – à l'intérieur se trouve le
célèbre tableau d'autel du »Maître
de Schöppingen«.

Links: Billerbeck – hier starb 809 der hl. Ludger, der erste Bischof von Münster.
Oben: Das Walkenbrückentor in Coesfeld erinnert an die einst mächtige Stadtbefestigung aus dem 14. Jahrhundert.
Unten: Die Alte Mühle an der Ems in Telgte.

Left: Billerbeck; it was here that St. Ludger, first bishop of Münster, died in 809.
Above: The Walkenbrückentor, the bridge gateway in Coesfeld, is all that is left to remind us of the once mighty town fortifications.
Below: The old mill on the Ems river in Telgte.

A gauche: Billerbeck – c'est ici que mourut saint Ludger, premier evêque de Münster, en 809.
En haut: La Walkenbrückentor de Coesfeld rappelle les anciennes fortifications du 14e siècle.
En bas: Vieux moulin au bord de l'Ems, à Telgte.

Das Tecklenburger Land
The Tecklenburger Land
Le Pays de Tecklenburg

Das »Heilige Meer« nahe Ibbenbüren – doch der Name trügt. Er leitet sich von »heilig« ab, was »schlimm« oder gar »böse« bedeutet. Die Legende sagt, unter Blitz und Donner sei das Meer aus der Erde gebrochen und habe ein Kloster verschlungen, um die Unzüchtigkeit der Nonnen zu strafen. Grausilbern liegt es in heideähnlicher Landschaft, Nordrhein-Westfalens größter Natursee. Schilf, braune Rohrkolben, Bläßhühner und Enten. Auf einer Kiefer am Ufer ein Reiher.

Aus dem Schafberg von Ibbenbüren wird Steinkohle gefördert, in Lengerich Kalkstein gebrochen und Zement hergestellt. Die Landschaft ist hügelig, geprägt von den Ausläufern von Wiehengebirge und Teutoburger Wald. Man ist hier im Tecklenburger Land, im äußersten Nordwestzipfel Nordrhein-Westfalens, und das Städtchen Tecklenburg, auf Kamm und Hängen des Teutoburger Waldes, ist »Nordwest-

The »Holy Lake« (»Heilige Meer«) near Ibbenbüren has a deceptive name. It is derived from the word »hellig«, which means »bad« or even »evil«. According to legend, the ground split open during a thunderstorm to form a large lake which drowned the nunnery there in order to punish the unchaste nuns. Surrounded by a landscape similar to heathland, North Rhine-Westphalia's largest natural lake sparkles silver in the sun. Ducks swim between reeds and brown reed maces; a heron perches on a pine tree on the shore.

La »heilige Meer« (sainte mer) s'étend à proximité d'Ibbenbüren – mais le nom est trompeur. Il vient du mot »hellig«, qui signifie »fâcheux« et même »mauvais«. La légende dit que la mer est surgie de la terre alors que des éclairs sillonnaient le ciel et que le tonnerre grondait, et qu'elle a englouti un monastère pour punir des religieuses impudiques. Cette mer argentée est située dans un paysage ressemblant à une lande, et est le plus grand lac naturel de Rhénanie-Westphalie. Ce ne sont que roseaux, bruns typhas, foulques noirs et canards. Il arrive même qu'on aperçoive un héron sur un pin, sur la rive.

On extrait de la houille du Schafberg, à Ibbenbüren; on extrait du calcaire et l'on fabrique du ciment à Lengerich. Le paysage est vallonné, marqué par les contreforts du Wiehengebirge et du Teutoburger Wald. On se trouve ici dans le Tecklenburger Land, à l'extrémité nord-ouest

Oben: Die Schloßmühle in Lemgo.
Links: Tecklenburg von seiner schönsten Seite: der »Malerwinkel«.
Seite 52/53: Natur- und Kulturdenkmal: die Externsteine bei Horn-Bad Meinberg.

Above: The castle mill in Lemgo.
Left: Tecklenburg showing its best side – »Artists' Corner«.
Page 52/53: A natural and cultural monument – the so-called »Externsteine« near Horn-Bad Meinberg.

En haut: Le moulin du château à Lemgo.
A gauche: La plus belle partie de Tecklenburg: Le »coin des peintres«.
Page 52/53: Monument naturel et culturel: Le groupe de rochers dit »Externsteine«, près de Horn-Bad Meinberg.

deutschlands einzige Bergstadt«.

Wiederum idyllische Gassen, Plätzchen, Winkel und viel Fachwerk. Von der festungsähnlichen Höhenburg der tecklenburgischen Grafen erhielt sich nicht viel mehr als Reste von Umfassungsmauern und Bastionen, ein Torhaus mit Stümpfen von Flankierungstürmen und der an Jan Weyer erinnernde Weyerturm. Weyer, gestorben 1588 während eines Besuchs in Tecklenburg, war Leibarzt Herzog Wilhelms des Reichen von Kleve und ein leidenschaftlicher Kämpfer gegen den Hexenwahn, der nach Huizinga »ekelhaftesten Entartung des Christentums«.

Herford, Enger, Minden

Alle Welt kennt den Steinhäger, den in der gleichnamigen Gemeinde ge-

Hard coal is mined from Ibbenbüren's Schafberg mountain; limestone is cut and cement is made in Lengerich. Here the countryside is hilly, its topography determined by the foothills of the Wiehen mountains and Teutoburg forest. We are in the Tecklenburger Land, at the most north-westerly tip of North Rhine-Westphalia and the little town of Tecklenburg, perched on the ridges and slopes of the Teutoburg forest, is »North-West Germany's only hill town.«

Tecklenburg is riddled with narrow streets and alleys, small squares and timbered buildings. The remains of enclosing walls, bastions, a gatehouse with the stumps of its flanking towers and the Weyerturm are all that is left of the fortress up on the hill, once the property of the counts of Tecklenburg.

de la Rhénanie-Westphalie, et la petite ville de Tecklenburg, qui s'étend sur la crête et les pentes du Teutoburger Wald, est »l'unique ville de montagne du nord-ouest de l'Allemagne«.

Il y a là des rues, des petites places, des coins idylliques et beaucoup de maisons à colombages. Du château fortifié des comtes de Tecklenburg, il ne reste plus guère que des morceaux de fortifications et de bastions, un porche avec des bouts de tours de flanquement et le Weyerturm, qui rappelle Jan Weyer. Weyer, qui mourut en 1588 pendant qu'il se trouvait à Tecklenburg, était médecin personnel du duc Guillaume le Riche, de Kleve, et combattit avec achamement la croyance aux sorcières, selon Huizinga la plus »répugnante dépnavation du cristianisme«.

Oben: Die Liesbergmühle bei Enger.
Seite 57 links: Die ältesten Teile des Doms zu Minden stammen aus dem 8. Jahrhundert.
Seite 57 rechts: Die Münsterkirche von Herford (13. Jahrhundert).

Above: Liesberg Mill near Enger.
Page 57 left: The oldest parts of Minden Cathedral date back to the eighth century.
Page 57 right: Herford Minster (thirteenth century).

En haut: Le moulin dit »Liesbergmühle« près d'Enger.
Page 57, à gauche: Les plus anciennes parties de la cathédrale de Minden datent du 8e siècle.
Page 57, à droite: Le Münster de Herford (13e siècle).

brannten Wacholderschnaps in den markanten bräunlichen Tonflaschen. Und dann stand anläßlich einer Beerdigung der Pfarrer von Steinhagen auf der Kanzel und begann: »Wieder hat es Gott dem Herrn gefallen, einen Steinhäger zu sich zu nehmen…«

Steinhagen liegt am Fuße des Teutoburger Waldes, eines Gebirgszugs aus Kalk- und Sandstein, der sich bis zu Höhen von vierhundert Metern aufschwingt und sich über gut hundert Kilometer von Nordwesten nach Südosten erstreckt – von Ibbenbüren über Bielefeld und Detmold bis zu den Externsteinen bei Horn, fünf steil aufragenden Felsen. Nahezu parallel zum Teutoburger Wald aber zieht sich eine zweite Bergkette hin – das Wiehengebirge.

Von Steinhagen ist es bloß ein Katzensprung nach Bielefeld, der Stadt zu Füßen der Sparrenburg; erhalten hat sich von der Höhenburg der Grafen von Ravensberg allein der Bergfried und ein gotisches Tor. In der Marienkirche entzücken aus einem Lettner stammende Nischenfiguren unter kunstvollem Maßwerkfiligran, geschaffen von unbekannter Hand um 1320, und im Chor ein Flügelaltar, eines der Meisterwerke der gotischen Malerei in Westfalen.

Höckerstraße 12 in Herford ist das Geburtshaus Matthias Daniel Pöppelmanns, des großen Barockarchitekten und Erbauers des Dresdner Zwingers. Die am Zusammenfluß von Aa und Werre um 790 gegründete Stadt war im 10. Jahrhundert ein blühender Fernhandelsort. Münster-, Marien-, Jakobi- und

Steinhagen, where the juniper berry spirit of the same name is made, is at the foot of the Teutoburg forest, a mountain range of limestone and sandstone which climbs to a height of 400 m and stretches across a good 100 km from northwest to south-east, from Ibbenbüren through Bielefeld and Detmold to the five steep rocks near Horn, the so-called »Externsteinen«. Almost parallel to the Teutoburg forest runs another mountain range, the Wiehen mountains.

Bielefeld, sprawled at the foot of Sparrenburg Castle, is just a stone's throw from Steinhagen. From the Count of Ravensberg's fortress only the keep and a Gothic archway are preserved today. In the Marienkirche, alcove figures, originally from a choir screen, were fashioned by an unknown artist in ca. 1320.

Höckerstraße 12 in Herford is Matthias Daniel Pöppelmann's birthplace, the great Baroque architect and builder of the Dresdner Zwinger court. Founded at the mouth of the Aa and Werre rivers in ca. 790, it

La ville de Steinhagen (où l'on distille la célèbre eau-de-vie de genièvre du même nom) se trouve au pied du Teutoburger Wald; cette chaîne de montagnes constituée de calcaire et de grès s'élève jusqu'à une altitude de 400 m et s'étend sur plus de cent kilomètres du nord-ouest au sud-est, d'Ibbenbüren aux Externsteine – un groupe de rochers situé à proximité de Horn –, en passant par Bielefeld et Detmold. Une deuxième chaîne de montagnes, le Wiehengebirge, est presque parallèle au Teutoburger Wald.

De Steinhagen, il n'y a qu'un pas pour aller à Bielefeld, ville située au pied du château de Sparrenburg; seul le donjon et un portail gothique sont restés du Höhenburg des comtes de Ravensberg. Dans l'église Sainte-Marie, on est enthousiasmé par des figures de niches provenant d'un jubé et placées sous un filigrane créé par un artiste inconnu vers 1320. Le n° 12 de la Höcherstrasse, à Herford, est la maison natale de Matthias Daniel Pöppelmann, grand architecte du baroque et bâtisseur

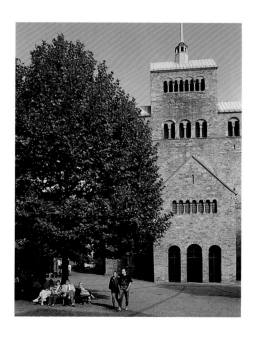

Johanneskirche wurden in der Reformation evangelisch; in der Johanneskirche gibt es kostbare gotische Glasmalereien. 1547 gelangte Herford in den Besitz der klevischen Herzöge und wurde 1647 brandenburgisch-preußisch.

In der Kirche von Enger ruht in einer Tumba des 11. Jahrhunderts der 807 verstorbene Sachsenherzog Widukind. Die strenge Liegefigur des Herzogs, ein Flachrelief mit Spuren einstiger Bemalung, zählt zu den bedeutendsten plastischen Werken des Mittelalters.

Minden ist ein von Karl dem Großen an einer Weserfurt errichteter Bischofsitz, später war die Stadt Mitglied der Hanse. Den Petersdom nannte Heinrich Heine »eine feste Burg«, und so wirkt er auch mit seinem monumentalen Westwerk, einem gestuften Block mit vortretender Portalhalle und drei zierlichen Arkadengalerien im ansonsten glatten Mauerwerk.

»...darinnen ein Soldat«

»Lippe-Detmold, eine wunderschöne Stadt«, heißt es in einem alten Lied. Das Schloß von 1549, Residenz der Fürsten zur Lippe, ist eine Vierflügelanlage, in die der mächtige Turm einer älteren Burg einbezogen wurde. Im Schloß hängen auch große Brüsseler Gobelins, die die Siege Alexanders des Großen feiern. Vor der Stadt erhebt sich auf der Grotenburg, einer Berghöhe des Teutoburger Waldes, das 1875 vollendete Hermannsdenkmal.

was a prospering centre of trade in the tenth century. During the Reformation, the Münsterkirche, Marienkirche, Jakobikirche and Johanneskirche churches became Protestant. The Johanneskirche has some valuable Gothic glass painting. In 1547 Herford became the property of the Dukes of Kleve and in 1647 fell under the control of Brandenburg-Prussia.

In the church in Enger, the remains of Widukind, Duke of Saxony (deceased 807), rest in a tomb from the eleventh century. The stern figure of the duke, a bas-relief with traces of its former colouring, is one of the most important sculptures from the Middle Ages.

Minden is a diocesan town founded by Charlemagne on a ford across the Weser; later the town became a member of the Hanseatic League. Heinrich Heine called St. Peter's Cathedral »a mighty fortress« and one can certainly imagine this when looking at the monumental westwork, a giant terraced block of stone with its protruding portal

du Zwinger de Dresde. La ville fondée vers 790 au confluent de l'Aa et de la Werre fut un centre de commerce florissant au 10e siècle. Le Münster, la Marienkirche, la Jakobikirche et la Johanniskirche devinrent protestantes à l'époque de la Réforme. La Johanniskirche abrite de précieuses plintures sur verre datant du gothique. En 1547, Herford tomba aux mains des ducs de Kleve et devint prusse et brandenbourgeoise en 1647.

Le duc saxon Widukind, mort en l'an 807, repose dans l'eglise abbatiale d'Enger, dans une tumba du 11e siècle. Le strict gisant représentant le duc, relief plat avec des traces de peinture ancienne, fait partie des plus grandes oeuvres plastiques du Moyen-Age.

Minden est un ancien évêché fondé par Charlemagne sur la rive gauche de la Weser vers l'an 800. Plus tard, elle devint une florissante cité hanséatique. Heinrich Heine qualifia la cathédrale Saint-Pierre de »château-fort«, et c'est bien ce que l'on ressent quand on regarde sa

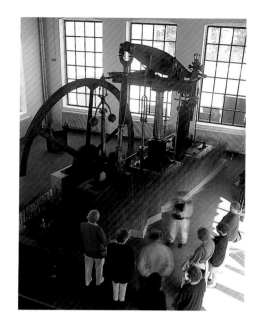

Salzuflen und Oeynhausen sind berühmte Thermalsolbäder, Meinberg ein Schwefelmoorbad. Lemgos Rathaus gilt als eines der schönsten Deutschlands. Acht Baukörper vereinigen sich in ihm zu einem ausgewogenen Komplex mit Staffel-, Doppel- und Volutengiebeln, Erkern, Lauben und Arkaden. Lüdge bietet ein guterhaltenes historisches Ortsbild mit umfangreichen Resten der mittelalterlichen Stadtbefestigung und zwei intakten Wehrtürmen.

Nicht minder reizvoll ist das am Ufer der Weser gelegene Höxter, wo es bereits um 1115 eine Brücke über den Fluß gab. Vor der Stadt liegt die ehemalige Fürstabtei Corvey mit der auf das Jahr 848 zurückgehenden Abteikirche und ausgedehnten schloßartigen Klosterbauten, heute im Besitz der Herzöge von Ratibor

entrance vestibule and three delicate arcades breaking up the otherwise smooth stonework.

»Lippe-Detmold, a beautiful town«, as the old song goes. The palace from 1549, residence of the Lords of Lippe, has four main wings with the strong keep of an older castle integrated into its structure. There are eight large Brussels tapestries hanging inside the palace, celebrating the victories of Alexander the Great. The Hermannsdenkmal monument, completed in 1875, rises above the town on Grotenburg mountain, part of the Teutoburg forest.

Salzuflen and Oeynhausen are famous thermal salt-water spa towns; Meinberg has sulphur mudbaths. Lemgo's town hall is considered to be one of the most beautiful in

monumentale façade ouest, un bloc étagé avec portail proéminant et trois délicates galeries à arcades.

Lippe-Detmold

»Lippe-Detmold est une merveilleuse ville« dit une vieille chanson. Le château de 1549, résidence des princes de Lippe, est un ensemble de quatre corps de bâtiment, dans lequel fut encastrée la puissante tour d'un château plus ancien. A l'intérieur, on remarque huit très beaux gobelins de Bruxelles illustrant les victoires d'Alexandre le Grand. Sur le Grotenburg, une élévation du Teutoburger Wald, s'élève le monument de Hermann, qui fut achevé en 1875.

Salzuflen et Oeynhausen sont des stations thermales célèbres pour

Oben: Bielefeld ist das kulturelle und wirtschaftliche Zentrum von Ostwestfalen - Historisches Museum (links), Rathaus mit Stadttheater (rechts).
Links: Die neue Stadthalle von Bielefeld.

Above: Bielefeld is East Westphalia's cultural and economic centre - here, the Historical Museum (left) and the town hall and theatre (right).
Left: Bielefeld's new town hall.

En haut: Bielefeld est le centre culturel et économique de la Westphalie orientale - musée historique (à gauche), hôtel de ville et théâtre (à droite).
A gauche: La nouvelle salle polyvalente de Bielefeld.

und Corvey. Heinrich Hoffmann von Fallersleben, der Dichter des Deutschlandliedes, wirkte von 1860 bis 1874 als Schloßbibliothekar in Corvey.

»Minsche gdenke wat du betengest« (Mensch gedenke, was du bedeutest) liest man an der Fassade des mit buntbemalten Schnitzereien reichverzierten Fachwerkrathauses von Schwalenberg. Teutoburger Wald, Wiehen- und das östlich von Paderborn liegende Eggegebirge beginnt man hier allmählich hinter sich zu lassen und nähert sich der alten Kaiser- und Bischofstadt.

Aus mehr als zweihundert Quellen entspringen innerhalb Paderborns Rinnsale, die rasch zu fünf Armen zusammenfließen, sich noch in der Stadt zur Pader vereinigen, die dann nach kurzem Lauf in die Lippe mündet. Paderborn ist als Stadt und Bischofsitz eine Gründung Karls des Großen mit karolin-

Germany. Eight architectural components combine to form a balanced complex with corbie-step, double and voluted gables, oriels, pergolas and arcades. The historical town of Lüdge is well-preserved, as numerous stretches of the medieval town wall with its two defensive towers, still intact, indicate.

Höxter, situated on the banks of the Weser, is just as charming. Here there was a bridge across the river as early as 1115. Just outside Höxter lies the former royal monastry of Corvey with its extensive, almost palatial buildings and abbey church, which goes back to the year 848.

»Minsche gedenke wat du betengest« (»Think about what you represent«) can be read on the façade of Schwalenberg's timbered town hall, richly decorated with painted carvins. We gradually leave the Teutoburg forest, the Wiehen and the Egge mountains to the east of Paderborn behind us and approach the

leurs eaux salines, Meinberg pour ses eaux sulfureuses. L'hôtel de ville de Lemgo, sur la place du marché, est considéré comme l'un des plus beaux d'Allemagne. Composé de huit constructions juxtaposées, il est exceptionnel pour ses oriels, ses pignons et ses arcades. Lügde possède un centre historique bien conservé, avec de nombreux restes de fortifications médiévales et deux tours fortifiées intactes.

Höxter, sur la rive gauche de la Weser, où un pont enjambait déjà la rivière vers 1115, est également une jolie petite ville. A proximité se trouve l'ancienne abbaye bénédictine de Corvey, fondée en 822, ainsi que de grands bâtiments aux allures de château. Heinrich Hoffmann von Fallersleben, poète qui écrivit le »Deutschlandlied« ou hymne national allemand, fut bibliothécaire du château de Corvey de 1860 à 1874.

»Minsche gedenke wat du betengest« (Homme, songe à ce que tu représentes) peut-on lire sur la façade de l'hôtel de ville à colombages de Schwalenberg, peint et richement décoré. On laisse maintenant derrière soi le Teutoburger Wald, le Wiehengebirge et l'Eggegebirge, pour se rapprocher de l'ancienne ville impériale et épiscopale de Paderborn. La Pader tire son origine de plus de 200 sources qui jaillissent dans la ville même, se réunissent en cinq ruisseaux et viennent former une rivière qui se jette peu après dans la Lippe. Paderborn est, en tant que ville et siège d'un évêché, une fondation de Charlemagne. La cathédrale fut érigée au 13e siècle

gischer und später ottonisch-sali-
scher Pfalz. Der Dom entstand unter
Verwendung erheblicher Teile der
Vorgängerbauten aus dem 12. und
11. am Ende des 13. Jahrhunderts.
Aus dem 11. Jahrhundert stammt
der gegiebelte Westturm, dessen
Ecktürmchen freilich Zutaten des
19. Jahrhunderts sind. Eine Beson-
derheit, fast ein Wahrzeichen Pa-
dersborns ist das »Hasenfenster« im
Kreuzgang des Doms: drei laufende
Hasen so zusammengestellt, daß
jeder Hase zwei Ohren hat, obwohl
insgesamt nur drei Ohren vorhan-
den sind.

old town of emperors and bishops.

In Paderborn itself, tiny rivulets
are formed from more than two
hundred springs. These merge into
five bigger streams; they become the
River Pader, which after a short
journey flows into the Lippe. The
diocesan town of Paderborn was
also founded by Charlemagne and
had a Carolingian and later an
Ottonian-Salian imperial palace.
The cathedral was built at the end
of the thirteenth century, largely
using parts of previous buildings
from the eleventh and twelfth
centuries.

sur l'emplacement d'une ancienne
église datant des 11e et 12e siècles.

La »fenêtre aux lièvres«, dans le
cloître de la cathédrale, est une par-
ticularité, presque le symbole, de Paderborn. Il s'agit-là de trois lièvres
placés de telle sorte que chaque lièv-
re a deux oreilles, bien qu'il n'y ait
que trois oreilles en tout.

*Oben: Das Flüßchen Diemen vor der
Stadtgrenze von Warburg.*
*Links: Residenzschloß von Detmold
- nur der mächtige Bergfried ist von
dem ursprünglich mittelalterlichen
Wasserschloß erhalten geblieben.*

*Above: Diemen River just outside
Warburg's town boundaries.*
*Left: The residential palace in
Detmold - the mighty round keep is
all that remains of the original
medieval moated castle.*

*En haut: La rivière Diemen, à la
limite de la ville de Warburg.*
*A gauche: Le château dit »Residenz-
schloss« à Detmold - le puissant
donjon est tout ce qui reste de l'ancien castel d'eau du Moyen âge.*

Links: Der Markt von Paderborn
mit der Gaukirche und dem Neptun-
brunnen.
Oben: Zahlreiche prächtige Büger-
häuser zeugen von der reichen Ver-
gangenheit von Paderborn.
Unten: Der Dom zu Paderborn.

Left: Paderborn's market place with
the church and Neptune Fountain.
Above: Paderborn's numerous

splendid town houses are witnesses
to the city's rich past.
Below: Paderborn Cathedral.

A gauche: Le marché de Paderborn,
avec l'église romane dite »Gaukirche« et la fontaine de Neptune.
En haut: Un grand nombre de maisons bourgeoises cossues témoignent du riche passé de Paderborn.
En bas: La cathédrale de Paderborn.

Oben: Bielefeld - die Leineweber-
stadt – entwickelte sich im 19. Jahrhundert zu einem wichtigen Stand-
ort der Textil- und Bekleidungs-
industrie.
Unten: Der Klosterplatz in der Altstadt von Bielefeld.

Above: Bielefeld, city of linen
weavers.
Below: Klosterplatz, or Monastery
Square, in Bielefeld's old town.

En haut: Bielefeld - la ville des tis-
serands en toile.
En bas: La place du couvent dans la
vieille ville de Bielefeld.

An die ehemalige Hansestadt
erinnert das Stadtbild von Lemgo,
das in großen Teilen aus dem
16. Jahrhundert erhalten ist.
Oben: Das Rathaus.
Unten: Schloß Brake.

Lemgo's townscape still has much
of the former Hanseatic town.
Above: The town hall.
Below: Castle Brake.

Les nombreuses maisons
bourgeoises cossues du 16ᵉ siècle
rappellent que Lemgo fut une ville
hanséatique.
En haut: L'hôtel de ville.
En bas: Le château Brake.

Oben: Ein Aalfänger auf der Weser
bei Petershagen.
Rechts: Schachtschleuse bei
Minden.

Above: An eel boat on the Weser
River near Petershagen.
Right: Lock near Minden.

En haut: Un pêcheur d'anguilles sur
la Weser, près de Petershagen.
A droite: Ecluse à air de puits, près
de Minden.

Links: Mit 323 Kilometer ist der Mittellandkanal die längste künstliche Wasserstraße in Deutschland – eine Kanalbrücke überquert die Weser bei Minden.

Left: The Midland Canal. Here, an aqueduct crosses the Weser River near Minden.

A gauche: Avec ses 323 km, le Mittellandkanal est la plus longue voie d'eau artificielle d'Allemagne.

Reich geschnitzte und bemalte Fachwerkhäuser aus dem 16. und 17. Jahrhundert haben in Höxter eine liebevolle Pflege und Erneuerung erfahren - rechts oben und unten das »Adam und Eva Haus«.

In Höxter, artistically carved and painted timber-framed houses from the sixteenth and seventeenth centuries have enjoyed decades of

68

loving care and restoration. Above right and below: the »Adam and Eve« house.

A Höxter, des maisons à colombage, gravées et peintes, construites au 16e et au 17e siècles, ont été soigneusement rénovées - en haut et en bas, à droite, la »Maison d'Adam et Eve«.

Der Museumshof bei Rahden bewahrt das Kulturgut des bäuerlichen Lebens in Ostwestfalen – rechts: Deele, Flett und Eßlucht; links: der Deelenbereich.

East Westphalia's cultural heritage is preserved in the open-air farming museum near Rahden. Right: barn and cooking and eating areas; left: the barn and threshing floor.

La cour du musée, près de Rahden, préserve les biens culturels de la vie rurale en Westphalie orientale – à droite: entrée, foyer et salle à manger; à gauche: entrée.

Oben: Schwalenberg, östlich des Teutoburger Waldes gelegen, ist ein hübsches, kleines Fachwerkstädtchen mit einem sehenswerten Rathaus aus dem 19. Jahrhundert.
Rechts: Der Wochenmarkt in Blomberg.

Above: Schwalenberg, to the east of the Teutoburg forest, is a small, beautiful timber-framed town with an interesting town hall from the nineteenth century.
Right: The weekly market in Blomberg.

En haut: Schwalenberg, à l'est de la Teutoburger Wald, est une jolie petite ville qui possède beaucoup de maisons à colombage et une remarquable hôtel de ville du 19ᵉ siècle.
A droite: Le marché hebdomadaire de Blomberg.

Sieben Kilometer südlich von
Minden liegt die Porta Westfalica
mit dem Kaiser-Wilhelm-Denkmal
(1896) – nicht nur für Wanderer ein
lohnendes Ziel, sondern auch von
Drachenfliegern geschätzt.

Seven kilometres south of Minden is
the Porta Westfalica with the
Kaiser Wilhelm Monument, erected

in 1896. It is a rewarding
destination not just for hikers, but
also for hang-gliders.

La Porta Westfalica et le monument
à la mémoire de Guillaume Ier érigé
en 1896 se trouvent à 7 kilomètres
au sud de Minden – c'est là un but
d'excursion apprécié des prome-
neurs et des amateurs de deltaplane.

Ruhrgebiet
The Ruhr
La Ruhr

Das Ruhrgebiet, eine Region im Wandel. »Kohlenpott« stimmt nicht mehr. Waren 1949 noch sechshunderttausend Menschen im Steinkohlebergbau beschäftigt, ist es 1995 nur noch ein Zehntel. Begleitet wurde das Zechensterben von den Stillegungen zahlreicher Hüttenwerke. Ein Jahrhundert geht zu Ende und mit ihm das Zeitalter der Zechen, Kokereien, Hochofenbatterien und Mammutgasometer. Manches Industriebauwerk blieb als Industriedenkmal erhalten wie der Malakoffturm von Prosper II in Bottrop, anderes rostet einstweilen noch dahin wie das Stahlwerk Rheinhausen in Duisburg oder wird für kulturelle Veranstaltungen genutzt wie der 116 Meter hohe Gasometer in Oberhausen, der größte Europas.

Auf den Strukturwandel in dem mit fünf Millionen Einwohnern größten industriellen Ballungsraum der Welt fand man interessante Antworten, die nun dort sorgfältig studiert werden, wo man sich mit gleichartigen Problemen herum-

The Ruhr is a region undergoing a period of change. The term »coal pot« is no longer applicable. In 1949 there were six hundred thousand people employed in the coal mining industry; in 1995 the number is down to about one tenth of that. The closing down of numerous iron and steel works has accompanied the decline of working pits. As this century draws to a close, so does the age of the mines, coking plants, blast furnaces and mammoth gasometers.

Interesting answers have been found to the questions posed by this change in the Ruhr, which with five million inhabitants is the largest

La Ruhr est une région en mutation. Ce n'est plus seulement un bassin houiller. Alors qu'il y avait encore 600 000 personnes occupées dans les charbonnages en 1949, on n'en compte plus qu'un dizième en 1995. La disparition des mines de charbon a été accompagnée par la fermeture de nombreuses usines métallurgiques. Le siècle tire à sa fin et avec lui, l'époque des mines, des cokeries, des hauts-fourneaux et des gazomètres géants.

On a trouvé d'intéressantes réponses au changement de structures dans la plus grande conurbation industrielle du monde; celles-ci sont soigneusement étudiées dans les pays où l'on se bat avec des problèmes similaires: en Europe occidentale et orientale, aux Etats-Unis et au Japon. Des deux côtés de l'Emscher, qui traverse la Ruhr d'est en ouest, »34 emplacements choisis, entre Bergkamen et Duisbourg, présentent des chantiers et des constructions, des évolutions et des progrès, des qualités historiques et des standards modernes.« D'anciennes sur-

Oben und links: Europas größter Gasometer in Oberhausen wird heute für Ausstellungen genutzt. Seite 76/77: Industrielandschaft in Gelsenkirchen-Buer.

Above and left: Europe's largest gasometer in Oberhausen is today used for exhibitions.
Page 76/77: Industrial landscape in Gelsenkirchen-Buer.

En haut et à gauche: Le plus grand gazomètre d'Europe, à Oberhausen, est aujourd'hui utilisé pour des expositions.
Page 76/77: Paysage industriel à Gelsenkirchen-Buer.

schlägt: in West- und Osteuropa, in den USA, in Japan. Beidseits der Emscher, die von Ost nach West das Ruhrgebiet durchfließt, zeigen 34 ausgewählte Standorte von Bergkamen bis Duisburg Baustellen und Gebautes, Entwicklungen und Fortschritte, historische Qualitäten und moderne Standards. Ehemalige Industrieflächen werden renaturiert, die einst die Zechenlandschaft prägenden Schlackenhalden begrünt, Erholungsräume, Sportanlagen, Gewerbeparks im Grünen, Öko- und Technologiezentren, Gartensiedlungen und vieles mehr entstehen. Federführend für das auf zwanzig Jahre ausgelegte Projekt ist die »Internationale Bauausstellung Emscherpark«, eine Einrichtung des Landes Nordrhein-Westfalen. Sogar die Emscher – einst ein Fluß in kaum zugänglicher Bruch- und Aulandschaft, dann kanalisiert und zur stinkenden »Kloake des Kohlenpotts« verkommen – wird nunmehr Schritt für Schritt aus ihrem Zwangsbett befreit, um nach der Säuberung der Zuflüsse wieder klar und rein dahinzufließen. Zukunftsvision: Fische im Wasser, Angler am Ufer.

Die Wiege des Kohlenpotts stand auf den Ruhrbergen zwischen Werden und Mülheim, wo man schon im Mittelalter schwarze Steine aus der Erde kratzte, die länger brannten als Holz und mehr Wärme gaben. Später grub man nach ihnen in waagerechten Stollen, die man in die Hänge der Ruhrberge trieb. Im 19. Jahrhundert vermochte man mit Hilfe der Dampfmaschine Zechen

industrial area in the world. Countries faced with similar problems, such as the USA and Japan, and our neighbours in Eastern and Western Europe are studying the outcome. On both sides of the Emscher river, which flows through the Ruhr from east to west, »in 34 selected towns and cities from Bergkamen to Duisburg there are building sites and new buildings springing up everywhere; they are showing progress and development and combine historical styles with modern standards.« Old industrial areas are

faces industrielles ont été restaurées, les crassiers qui donnaient jadis leur empreinte au paysage reverdissent, des espaces de détente, des terrains de sport, des zones industrielles dans la verdure, des centres écologiques et technologiques, et des cités-jardins ont été créées.

Le berceau du bassin houiller se trouvait sur les monts de la Ruhr, entre Werden et Mülheim, où, au Moyen-Age, on extrayait déjà de la terre des pierres noires qui se consumaient plus lentement que le bois et donnaient davantage de chaleur. Par

abzuteufen und ihre Schächte senkrecht in immer größere Tiefen zu bohren, zuletzt bis tausend Meter und mehr.

Wo die Kohle gefördert wurde, siedelte sich eisenschaffende Industrie an. Die Kohle hatte man vor der Tür, Erze schaffte man über den Rhein heran, bald auch über neue Schiffahrtskanäle und mit der Eisenbahn. Zu Zechen und Stahlkochereien gesellten sich eisenverarbeitende Fabriken aller Art, darunter auch solche für Waffen. Die Krupp-Werke in Essen galten als »Waffenschmiede des Reiches«. Die großen Gründerpersönlichkeiten an der Ruhr hießen Krupp, Thyssen, Haniel…

Eine Agrarregion mutierte zum Industriegebiet monumentalen Ausmaßes. Dörfer mit ein paar hundert Seelen entwickelten sich innerhalb weniger Jahrzehnte zu Städten,

being returned to nature; the slagheaps which used to dominate the mining area are being landscaped; rest homes, sport centres, out-of-town business parks, ecological and technology centres, rural housing estates and much more are being established.

The Ruhr area originated in the Ruhr mountains between Werden and Mülheim, where in the Middle Ages people starting mining black stones, as they found that they burned longer than wood and produced more heat. In later times, coal was dug in horizontal tunnels, driven into the slopes of the Ruhr mountains. In the nineteenth century man used steam engines to help him sink vertical shafts of ever greater depths, the longest reaching one thousand metres or more.

Industries producing iron products gradually settled in the areas

la suite, on les extirpa dans des galeries horizontales percées dans les pentes des monts de la Ruhr. Au 19e siècle, on parvint à creuser des mines au moyen de machines à vapeur et à percer des puits de mine à la verticale à des profondeurs toujours plus grandes, en dernier lieu jusqu'à plus de mille mètres.

Une industrie métallurgique s'installa aux endroits où l'on extrayait le charbon. On fit venir des minerais sur le Rhin, puis sur de nouveaux canaux navigables et par le chemin de fer. Des usines métallurgiques en tous genres, et parmi elles des usines d'armes, vinrent s'installer à proximité des houillères et des aciéries. L'usine Krupp, à Essen, était considérée comme »l'armurerie du Reich«. Krupp, Thyssen et Haniel faisaient partie des grandes personnalités qui participèrent à la fondation de la Ruhr.

Oben und links: Bis in die 70er Jahre war das »Revier« von Zechen und Hüttenwerken geprägt – heute sind diese Industriezweige von zahllosen Stillegungen betroffen.

Above and left: Until the 1970's, the Ruhr was pockmarked with working collieries and iron and steel works; today, these branches of industry have been hard hit by closures.

En haut et à gauche: Jusque dans les années 70, le »district« était marqué par les mines de charbon et les usines métallurgiques – aujourd'hui, ces branches d'industrie sont touchées par les innombrables fermetures.

Ackerbürgernester zu Großstädten. Rund um Zechen, Hüttenwerke und Fabriken siedelten sich Arbeiterkolonien an: Zwei- oder Dreifamilienhäuser »mit eigener Haustür für jede Familie, um Streit zu vermeiden«, mit großen Gärten und Ställen für Hühner, Kaninchen und ein oder zwei Schweine. Die bald so beliebten Brieftauben – Bergmannsrennpferde – hatten ihre Schläge unterm Dach.

Die Industrie benötigte Arbeitskräfte – sie kamen von nah und fern, hauptsächlich aus Ost- und Westpreußen und Oberschlesien. Sie alle brachten ihre Idiome mit oder ihr heimatliches Polnisch, woraus sich in wenigen Generationen etwas Eigenes mit scharfem Witz und unverwechselbarem Klang herausbildete: Ruhrdeutsch. Einen Eindruck vermitteln die »Ruhrpottogramme« des

where coal was mined. Coal lay directly to hand and ore was first brought in along the Rhine; later new waterways and the railway were used. All kinds of iron processing industries set up beside the pits and the steelworks, including weapons factories. The Krupp works in Essen was considered to be the »armourer of the Reich«. Krupp, Thyssen and Haniel were thus both personalities and founders of the Ruhr.

The mutation of this agrarian region to an industrial centre took on a phenomenal size. Villages with a few hundred inhabitants became towns in a matter of decades; smallholdings run by townspeople became major cities. Colonies of workers settled around the pits, factories and iron and steel works. Houses holding two or three fami-

Une région agricole se métamorphosa en région industrielle aux dimensions monumentales. Des villages comptant quelques centaines d'habitants se transformèrent en l'espace de quelques dizaines d'années en villes, et même en grandes villes. Des colonies d'ouvriers s'installèrent à proximité des mines, des usines métallurgiques et des fabriques: On vit s'élever des maisons conçues pour deux ou trois familles, »avec une porte pour chaque famille afin d'éviter les disputes«, avec de grands jardins et des cages pour les poules, les lapins et un ou deux porcs. Les pigeons voyageurs – les chevaux de course des mineurs – avaient leur pigeonnier.

La région de la Ruhr s'étend de Bergkamen, à l'est, au Rhin près de Duisbourg, à l'ouest, et de la Ruhr, au sud, jusqu'à la Lippe, au nord,

Oben: Haus Dellwig in Lütgendortmund bei Dortmund, 1238 erstmals urkundlich erwähnt, hat während der Renaissance und des Barock mehrere Umbauten und Erweiterungen erfahren.

Above: Haus Dellwig in Lütgendortmund near Dortmund, first mentioned in documents from 1238, suffered much rebuilding and alteration during the Renaissance and the Baroque periods.

En haut: La maison Dellwig à Lütgendortmund, près de Dortmund, a été citée pour la première fois dans un document de l'an 1238 et a subi plusieurs transformations et agrandissements pendant la Renaissance et le Baroque.

Bergmanns und Arbeiterdichters Kurt Küther. Da heißt es zum Thema »Zeche«:
Frachsse mich wat dat is
Sach ich:
Zeche is dat watte machss
wenne dich inne Kneipe am Tresen
ein kippss
un wenne dafür Kohle blechen muss.
Un damitte Kohle hass
musse auffe Zeche gehn
un Kohle machen

Das Ruhrgebiet reicht von Bergkamen im Osten bis zum Rhein bei Duisburg im Westen und von der Ruhr im Süden über die Emscher bis zur Lippe im Norden. Wieviele Städte gibt es hier, oder ist es eine einzige Fünfmillionenstadt? Denn nicht immer weiß man, wo man sich gerade befindet: noch in Gladbeck, schon in Essen-Karnap oder in Gelsenkirchen-Horst? Zum Verwechseln sehen sie sich ähnlich und

lies were erected »with separate entrances for each party to prevent dispute«. They had a large garden with a henhouse, rabbit hutch and room for one or two pigs. Homing pigeons, dubbed »miner's race horses« soon grew popular and had their own dovecote under the roof.

The Ruhr stretches from Bergkamen in the east to the Rhine in Duisberg in the west and from the Ruhr river in the south across the Emscher river to the Lippe river in the north. How many towns are there here, or is the Ruhr just one enormous city with five million inhabitants? You can't always be sure exactly where you are: you may ask »are we still in Gladbeck, or already in Essen-Karnap or Gelsenkirchen-Horst?« All these towns look extremely similar, yet each has its own character. Joseph Roth called the Ruhr »smoke country« with its thousands of

au-delá de l'Emscher. Combien de villes y a-t-il là, ou bien, s'agit-il d'une seule et même ville de cinq millions d'habitants? Car l'on ne sait pas toujours où l'on se trouve exactement: Encore à Gladbeck, déjà à Essen-Karnap ou encore à Gelsenkirchen-Horst? Elles se ressemblent à s'y méprendre, tout en ayant leur propre visage. Joseph Roth qualifia le bassin de la Ruhr de »pays de fumées«, avec des centaines de cheminées, des »colonnes du ciel enfumé«, le tout fermé par des constructions et pavé, ce qui n'est plus toujours vrai. Bottrop, ville minière typique, comprend en effet environ 50% de jardins, de champs et de prairies, de lande et de forêt. C'est à peu près le même chose à Bochum, Essen, Dinslaken et Mülheim an der Ruhr. Il n'y a guère de régions où circulent tant d'opinions erronées.

En outre, l'histoire n'a pas com-

Oben: Das Ruhrgebiet ist nicht nur Industrielandschaft – ausgedehnte Wälder, hier bei Hattingen, sind die »grüne Lunge« der Region.

Above: The Ruhr is not just industry – expanses of forest, such as here, near Hattingen, are the »green lungs« of the region.

En haut: La Ruhr n'est pas seulement un paysage industriel – de vastes forêts, ici près de Hattingen, constituent le »poumon vert« de la région.

haben trotzdem ihr eigenes Gesicht. Joseph Roth nannte den Kohlenpott ein »Rauchland« mit Hunderten von Schornsteinen, den »Säulen des Rauchhimmels«. Und alles zugebaut und zugepflastert, was längst nicht immer stimmt. Die typische Bergmannstadt Bottrop besteht ungefähr zur Hälfte aus Gärten, Äckern und Wiesen, Heide und Wald. Mit Bochum, Essen, Dinslaken, Mülheim an der Ruhr ist es kaum anders. Wohl über keine Region sind so viele falsche Ansichten in Umlauf wie über den einstigen Kohlenpott.

Zudem setzte hier die Geschichte ja nicht erst mit der Erfindung der Dampfmaschine, der Errichtung der ersten Eisenhütte und der Abteufung der ersten Zeche ein. Dortmund, am Hellweg gelegen, der uralten Heer- und Handelsstraße vom Rhein zur Weser, war Hanse- und freie Reichsstadt und braute begehrte Biere lange bevor hier Kohle gefördert und Hochöfen abgestochen wurden. In Essen regierten Fürstäbtissinnen, und die Anfänge des Doms gehen bis auf das Jahr 860 zurück. Wattenscheid und Castrop-

chimneys, the »pillars of the smoking sky«. He saw that everything was completely built up and industrialised… This, of course, is no longer true. About half of the typical mining town of Bottrop consists of gardens, fields and meadows, of heathland and forest. Bochum, Essen, Dinslaken and Mülheim an der Ruhr have fared similarly. The Ruhr is probably the only region in Germany which has to suffer so many false opinions of it.

What is often forgotten is that the history of the area didn't first start with the invention of the steam engine, with the installation of the first iron works or the sinking of the first mine shaft. Dortmund, which is lies on the Hellweg, the age-old military road and trading route from the Rhine to the Weser, was a Hanseatic town and a free city and was brewing extremely popular beers long before coal was being mined and blast furnaces were being tapped. Essen was ruled by royal abbesses and the beginnings of the cathedral go back to the year 860. Horst Castle in Gelsenkirchen, with its red bricks, light ashlar and rich

mencé ici avec l'invention de la machine à vapeur, la construction de la première usine sidérugique et le creusage de la première mine de charbon. Dortmund, sur les bords du Hellweg, la très ancienne voie stratégique et commerciale allant du Rhin à la Weser, était une ville libre inmpériale et adhéera à la Hanse; on y brassait des bières appréciées bien avant d'y extraire du charbon et d'y percer des hauts fourneaux. La ville de Essen était autrefois dirigée par des religieuses, et les débuts de la cathédrale remontent à l'an 860. Les ducs de Kleve accordèrent à Wattenscheid et à Castrop-Rauxel des privilèges spéciaux vers 1450. Le château de Horst, à Gelsenkirchen (brique rouge, pierre franche de couleur claire, riche décor dans le style néerlandais et français), est considéré comme un monument typique de la dite Renaissance de Lippe.

Le Dr. Carl Arnold Kortum (1745–1824), le poète de la »jonsiade«, l'un des grands romans picaresques allemands, est originaire de Mülheim an der Ruhr. Gerhard Mercator (1512–1594), géographe et inventeur de la »projection de Mercator« toujours en usage dans les cartes pour l'aviation et la navigation, naquit et vécut à Duisburg. La Salavtorkirche de Duisburg, une basilique en tuff à trois nefs construite vers 1430, fait partie des plus grandes églises gothiques de la région de la Ruhr et d'ailleurs.

C'est à Oberhausen, »berceau de l'industrie de la Ruhr«, que fut mis en service le premier fer en fonte au bord de la Ruhr – l'ancêtre de tous

Rauxel wurden um 1450 von den Herzögen von Kleve zu »Freiheiten« erhoben, zu Orten mit besonderen Privilegien. Das Horster Schloß in Gelsenkirchen – roter Backstein, heller Haustein, reiches Dekor in niederländischem und französischem Stil – gilt als typisch für die sogenannte Lippe-Renaissance. Aus Mülheim an der Ruhr stammt Dr. Carl Arnold Kortum (1745–1824), der Dichter der »Jobsiade«, eines berühmten deutschen Schelmenromans. Hingegen lebte und wirkte in Duisburg Gerhard Mercator (1512–1594), Geograph und Erfinder der bis auf den heutigen Tag bei Flieger- und Seenavigationskarten gebräuchlichen »Mercator-Projektion«.

Oberhausen nennt sich »Wiege der Ruhrindustrie«; dort wurde 1758 die erste Eisenschmelze an der Ruhr in Betrieb genommen – die Ahnherrin aller Hüttenwerke der Region. Bottrop zählte um 1830 140 Bauernhöfe und 170 Kotten, ein Bauerndorf. Zur Stadt erhoben wurde die nunmehrige Bergbaugemeinde erst 1919 mit inzwischen 72 000 Einwohnern. Wanne-Eickel wurde vor etlichen Jahren durch einen Schlager, der den »Mond von Wanne-Eickel« besang, populär. Von Gelsenkirchen aber behaupten Spötter, daß man dort an Wochenenden nur über zwei Themen rede: Wie die Brieftauben geflogen sind und Schalke 04 gespielt hat.

decor in the Dutch and French style, is considered typical of the so-called »Lippe Renaissance«.

Dorsten and Haltern were strongholds on the banks of the Lippe. Mülheim an der Ruhr is the birthplace of Dr. Carl Arnold Kortum (1745–1824), the author of »Jobsiade«, a famous German picaresque novel. Duisburg was the home and workplace of Gerhard Mercator (1512–1594), geographer and inventor of the Mercator projection, a mapping technique still used today for maritime and aviation navigation charts.

les hauts fourneaux de la région. Vers 1830 Bottrop comptait 140 fermes et 170 huttes, un véritable village. La communauté minière ne fut élevée au titre de ville qu'en 1919, alors qu'elle comptait déjà 72 000 habitants. Wanne-Eickel est devenue populaire il y a de nombreuses années et ce, grâce à une rengaine chantant la »lune de Wanne-Eickel«. Les esprits moqueurs prétendent que pendant le week-end, on ne parle que de deux choses à Gelsenkirchen, à savoir les performances des pigeons voyageurs et de l'équipe Schalke 04.

Oben: Blick vom Fernsehturm auf die Innenstadt von Dortmund.
Links: Zwei Domänen des Ruhrgebietes: Fußball und Taubenzucht.

Above: Looking down from the television tower over Dortmund's town centre.
Left: Two characteristic Ruhr pastimes: football and pigeons.

En haut: Vue du centre de Dortmund depuis le haut de la tour de télévision.
A gauche: Deux spécialités de la Ruhr: le football et l'élevage de pigeons.

Oben und unten: Das Maschinen-
haus der ehemaligen Zeche Zollern II.
ist heute ein Industriemuseum.
Seite 86 unten: Das Bergbau-Museum
in Bochum.

Above and below: Today, the machine
room of the former Zollern II. colliery.
Page 86 below: The Mining Museum
in Bochum.

En haut et en bas: Le pavillon aux
machines de l'ancienne mine Zollern II.
Page 86, en bas: Le musée de la mine
à Bochum.

Die Industrie hat die Landschaft
in weiten Teilen verändert und
geprägt, ihr auch eine eigene
Ästhetik verliehen.

Industry has to a large extent
disfigured the surrounding
countryside; it has, however, also
given it a certain aesthetic quality.

L'industrie a énormément
transformé et marqué le paysage,
tout en lui conférant une esthétique
personnelle.

Rechts: Essen: die Kettwiger Straße mit der Kirche St. Johannis (links) und dem Westwerk des Münsters (rechts).
Oben: Die Villa Hügel in Essen-Bredeney repräsentiert das groß-bürgerlichen Leben der Industriel-lenfamilie Krupp.
Unten: Der Förderturm der ehe-maligen Zeche Zollverein in Essen-Stoppenberg.

Right: Essen.
Above: The Villa Hügel in Essen-Bredeney.
Below: The winding tower of the former Zollverein colliery in Essen-Stoppenberg.

A droite: Essen.
En haut: La Villa Hügel à Essen-Bredeney.
En bas: La tour d'extraction de l'ancienne mine de charbon Zoll-verein, à Essen-Stoppenberg.

Der Rhein mit seinen Nebenflüssen ist noch immer eine der wichtigsten Verkehrsadern: Datteln am Dortmund-Ems-Kanal (links), der Rhein bei Duisburg (oben), die Emscher und der Rhein-Herne-Kanal bei Oberhausen (unten).

The Rhine with its tributaries is still one of the most important arterial routes: Datteln on the Dortmund-Ems canal (left), the

Rhine near Duisburg (above), and the Ems and the Rhine-Herne canals near Oberhausen (below).

Le Rhin représente toujours l'une des artères essentielles: Datteln au bord du canal Dortmund-Ems (à gauche), le Rhin près de Duisburg (en haut), l'Emscher et le canal Rhein-Herne, près d'Oberhausen (en bas).

Rechts: Herten-Westerholt mit seinen malerischen Fachwerk-gassen, das »Westfälische Rothen-burg«.

Right: Herten-Westerholt with its narrow, picturesque streets of timer-framed houses, the »West-phalian Rothenburg-ob-der-Tauber«

A droite: Herten-Westerholt avec ses maisons à colombage, le »Rothenburg de Westphalie«.

Oben und links: Der Bredeney-See
bei Essen zählt zu den wichtigsten
Naherholungsgebieten der Region.

Above and left: Bredeney Lake near
Essen is one of the region's major
recreational areas.

En haut et à gauche: Le lac Bredeney, près d'Essen, fait partie des
plus grandes zones de repos subur-
baines de la région.

Vermutlich aus dem 15. Jahrhundert
stammt das Haus Vondern bei
Oberhausen. Das Torhaus ist
flankiert von zwei mächtigen
Rundtürmen.

Haus Vondern near Oberhausen is
thought to have originated in the
fifteenth century. The gatehouse is
flanked by two massive round
towers.

La maison Vondern, près d'Oberhausen, a probablement été construite au 15ᵉ siècle. La maison-
porche est flanquée de deux énormes
tours rondes.

*Die Kirche des Frauenklosters
»Aula beatae Mariae«
(1214 gegründet) dient seit der
Säkularisation der Gemeinde Saarn
bei Mühlheim an der Ruhr als
katholische Pfarrkirche.*

*Since its secularisation, the church
of the »Aula beatae Mariae«
nunnery, founded in 1214, serves the
community of Saarn near Mülheim
an der Ruhr as a Catholic parish
church.*

*L'église du couvent de femmes
»Aula beatae Mariae« (fondée en
1214) sert d'église catholique depuis
la sécularisation de la paroisse de
Saarn, près de Mühlheim-an-der-
Ruhr.*

Zwischen Soest und Siegen

Between Soest und Siegen
Entre Soest et Siegen

Das Sauerland, so liest man's im Lexikon, ist eine rauhe, regenreiche, bewaldete, von vielen Flüßchen durchzogene Mittelgebirgslandschaft zwischen Ruhr und Sieg mit Rothaar- und Ebbegebirge, den Briloner Höhen, dem Arnsberger Wald und dem nördlich vorgelagerten Haarstrang. Tief eingeschnittene Täler trennen die einzelnen Bergzüge. Flüsse wie Möhne, Sorpe, Bigge und andere wurden zu Talsperren aufgestaut. Die höchste Erhebung ist mit 841 Metern der Kahle Asten, zu dessen Füßen die Ruhr entspringt. Im Westen des Sauerlandes liegt das Bergische, im Süden das Siegerland.

Im Norden aber, noch außerhalb des Sauerlandes, findet man Soest, die »grüne Stadt«, so benannt nach dem grünlichen Gestein des Haarstrangs, dem Baumaterial zahlreicher historischer Gebäude, darunter die Patroklikirche mit dem die »Siedung des heiligen Johannes« darstellenden Tympanonrelief über dem

If we look in an encyclopaedia, we will read that the Sauerland is a bleak, wet, wooded, mountainous area between the Ruhr and Sieg rivers, with many other rivers running through it. In it are the Rothaar and Ebbe mountain ranges, the Brilon hills, the Arnsberg forest and north of that the Haarstrang ridge. Low valleys wind between the mountains. Rivers such as the Möhne, Sorpe, Bigge and others have been dammed in the valleys. The Kahle Asten is the highest point at 841 m; the Ruhr river rises at the bottom of this mountain. To the west

Le Sauerland, peut-on lire dans le dictionnaire, est un massif montagneux de hauteur moyenne à la fois accidenté, riche en pluies, boisé et sillonné par de nombreuses rivières. Il est situé entre la Ruhr et la Sieg, et est composé du Rothaargebirge et de l'Ebbegebirge, des hauteurs de Brilon, de l'Arnsberger Wald et du Haarstrang, un peu plus au nord. De profondes vallées séparent les diverses montagnes. Les eaux de rivières telles que la Möhne, la Sorpe, la Bigge et d'autres sont retenues par des barrages. Le massif culmine à 841 mètres au Kahler Asten, au pied duquel jaillit la Ruhr. A l'ouest du Sauerland se trouve le Bergische Land, au sud, le Siegerland.

Au nord cependant, à l'extérieur du Sauerland, est située Soest, la »ville verte«, ainsi nommée à cause de la roche verdâtre du Haarstrang, qui fut utilisée pour construire de nombreux bâtiments historiques.

Oben: Am Möhne-Stausee bei Soest.
Links: Das Osthofentor in Soest.
Seite 98/99: Freudenberg:
die schönste Fachwerkstadt im
Siegerland.

Above: On Möhne Lake near Soest.
Left: The Osthofentor in Soest.
Page 98/99: Freudenberg, the most
beautiful timber-framed town in the
Siegerland.

En haut: Au bord du lac de retenue
de la Möhne, près de Soest.
A gauche: La porte d'Osthofen,
à Soest.
Page 98/99: Freudenberg:
la plus belle ville à colombage du
Siegerland.

Südportal und die ebenfalls evangelische Kirche Maria zur Höhe mit reichen Ausmalungen des 13. Jahrhunderts. Noch zu zwei Dritteln umringen Befestigungen des 16. und früherer Jahrhunderte die Soester Altstadt; erhalten geblieben sind die Schonekindbastei von 1599, das Osthofentor von 1525 und der zinnenbekrönte Katzenturm aus der Mitte des 13. Jahrhunderts.

Bereits im Sauerland liegt Hagen. Um 1900 machte der Hagener Mäzen Karl Ernst Osthaus es zu einem Zentrum moderner Kunst und Architektur, an dem Henry van de Velde, Peter Behrens und Jan Thorn Prikker wirkten. Altena mit seiner Burg war die Residenz der Grafen von der Mark, der späteren Herzöge von Kleve. Bei Hemer gibt es das durch Einstürze zahlreicher Tropfsteinhöhlen entstandene »Felsenmeer«. Wo die Ruhr eine große Doppelschleife bildet, erstreckt sich auf einem von ihr eng umflossenen Ausläufer des Arnsberger Waldes die Stadt Arnsberg; in der Altstadt entdeckt man auf Plätzen und in

of the Sauerland is the Bergische Land; to the south lies the Siegerland.

To the north is Soest, just outside the Sauerland. It is known as the »green town«, so called because of the greenish stone of the Haarstrang, used in the fabrication of many of Soest's historical buildings.

Hagen, on the other hand, is in the Sauerland. Around 1900, Karl Ernst Osthaus, a patron of Hagen, turned the town into a centre of modern art and architecture, a project in which Henry van de Velde, Peter

La ville de Hagen se trouve déjà dans le Sauerland. Vers 1900, le mécène Karl Ernst Osthaus transforma Hagen en centre de l'art moderne et de l'architecture, où des personnalités telles que Henry van de Velde, Peter Behrens et Jan Thorn Prikker exercèrent leurs activitiés. Altena et son chêteau servirent de résidence aux comtes de la Marche, qui devinrent par la suite ducs de Kleve. La »mer de rochers« due aux éboulements de nombreuses grottes est située près de Hemer. La ville d'Arnsberg se trouve à l'endroit où

Gassen zahlreiche Gruppen bemer-
kenswerter Fachwerkbauten mit
Schnitzerein, Wappen, Inschriften
und Jahreszahlen.

Eindrucksvoll thront in Iserlohn
auf dem zur Unterstadt steil abfal-
lenden Bilstein die evangelische
Marienkirche aus dem 14. Jahrhundert. Iserlohn, mit Stadtrechten von
1278, besaß im Mittelalter ergiebige
Erzgruben und war überdies weit-
bekannt durch die hier geschmie-
deten Kettenpanzer. Aus Soester
Grünsandstein erbaut wurde im
14. Jahrhundert das Alte Rathaus
von Attendorn. Der Ruin dieser
ebenfalls durch ihre eisenverarbei-
tenden Betriebe wohlhabenden kleinen Stadt kam nach der Reformation, als die Anhänger der neuen
Lehre das kurkölnische Attendorn
verlassen mußten und in die religiös
toleranten klevischen Lande aus-
wanderten.

Behrens and Jan Thor Prikker took
part. Altena with its castle was the
residence of the Von der Mark
Counts, later the Dukes of Kleve.
The collapse of a large number of
underground caves brought about
the formation of the »Felsenmeer«
or »Sea of Rocks« near Hemer.
Where the Ruhr bends back on itself
twice, the town of Arnsberg stretches out along the top of one of the
foothills from the Arnsberg forest,
with the river curling at its base. In
the old town, various groups of
remarkable timbered houses adorn
squares and line narrow streets, decorated with carvings, coats of arms,
inscriptions and dates. The palace
once belonging to the archbishops of
Cologne, built by Johann Conrad
Schlaun in 1730 and destroyed in
1762, is apart from the remains of a
few turrets and walls sadly only
preserved in old etchings.

la Ruhr fait une grande boucle
boucle, sur un contrefort de l'Arnsberger Wald qu'elle enserre. On découvre dans la vieille ville, sur les
places et dans les ruelles, divers
groupes de maisons à colombages,
avec des sculptures, des armoiries,
des inscriptions et des dates. Le château des archevêques de Cologne,
construit par Johann Conrad Schlaun
vers 1730 et détruit en 1762, n'est
plus – outre quelques tristes restes
de tours et de murs – qu'un souvenir
que l'on découvre sur de vieilles
gravures.

A Iserlohn, l'église protestante
Sainte-Marie, fondée au 14e siècle,
trône de manière impressionnante
sur le Bilstein, une hauteur à pic au
dessus de la ville basse. Iserlohn,
dont les droits municipaux datant
de 1278, possédait au Moyen-Age de
riches mines et était en outre connue
dans le monde entier pour ses cottes

Oben: Die Bigge-Talsperre bei Olpe.
Links oben: Iserlohn im Sauerland.
Links unten: Olpe: Blick über die
Stadt von der Martinskirche.

Above: Bigge dam near Olpe.
Above left: Iserlohn in the Sauer-
land.
Below left: Olpe – view of the town
from St. Martin's.

En haut: Le barrage de la Bigge, près
d'Olpe.
En haut, à gauche: Iserlohn, dans le
Sauerland.
En bas, à gauche: Vue de la ville
d'Olpe du haut de l'église St Martin.

Malerisch erhebt sich auf steiler Kuppe über dem Lennetal bei Plettenberg die Ruine der Burg Schwarzenberg – ein Malermotiv, wie die Romantik es liebte. Olpe, seit dem Mittelalter eine rege Gewerbestadt mit Erzbergbau und Eisenindustrie, besitzt in der Kreuzkapelle an der Biggebrücke achteckige Gemälde mit eindringlichen Passionsdarstellungen des Olper Kirchenmalers F. A. Ruegenberg. Den Besitz des Städtchens Berleburg teilten sich im Mittelalter ein Kloster und die Grafen zu Wittgenstein, bis es 1322 alleiniges Eigentum der Fürsten Sayn-Wittgenstein wurde. Im Schloß befindet sich eine Bibliothek mit Handschriften und seltenen Drucken. Nördlich von Berleburg liegt Winterberg, um 1265 als Stapelplatz an der Kreuzung wichtiger Handelsstraßen gegründet. Es war Hansestadt. Die Kirche, ein Saalbau, wurde um 1800 von Maurern aus Tirol errichtet. Der Westturm ist in den Untergeschossen noch romanischen Ursprungs. Mit seinen Pisten, Langlaufloipen, der Sprungschanze und der Rodel- und Bobbahn ist Winterberg der führende Winter-

Perched on the top of Bilstein Hill in Iserlohn, the fourteenth-century Protestant Marienkirche Church of St. Mary's stands high above the lower town sloping steeply down below it. Iserlohn's town charter dates from 1278; in the Middle Ages its ore mines were extremely productive and the town was also widely known for its armour. In the fourteenth century, Attendorn's old town hall was built from green Soest stone. This little town, which also owed its prosperity to its smithies and forges, fell into ruin after the Reformation, when followers of the new religious doctrine had to leave Attendorn, which belonged to Cologne, to seek a new life in the religiously more tolerant areas around Kleve.

On a steep hilltop near Plettenberg the ruins of Castle Schwarzenberg dramatically loom over the Lenne valley, a motive which would have been loved by any Romantic artist. Olpe has been a busy commercial town since the Middle Ages with its ore mines and iron industry. It also boasts impressionable octagonal paintings depicting the Passion

de mailles. Le vieil hôtel de ville d'Attendorn fut construit au 14e siècle avec du grès verdâtre. Cette petite ville également aisée grâce à ses entreprises travaillant le fer fut ruinée après la Réforme, quand les adeptes de la nouvelle doctrine durent quitter Attendorn et émigrer dans le pays de Kleve qui professait des opinions religieuses tolérantes.

Les pittoresques ruines du château de Schwarzenberg s'élèvent sur un sommet à pic, près de Plettenberg, au-dessus de la vallée de la Lenne – un motif apprécié des romantiques. Olpe, ville industrielle active depuis le Moyen-Age dans le domaine des minerais et du fer, possède une chapelle cruciforme près du pont de la Bigge; ses tableaux octogonaux représentant la Passion du Christ furent réalisés par le peintre Olpenois F. A. Ruegenberg. Au Moyen-Age, les moines et les comtes de Wittgenstein se partagèrent la petite ville de Berleburg, jusqu'à ce qu'elle devienne la propriété des seuls princes de Wittgenstein en 1322. La bibliothèque du château abrite des manuscrits et des oeuvres rares. Au nord de Berle-

sportort des Sauerlandes und der höchstgelegene Ort Nordrhein-Westfalens.

In Siegen wurde 1577 Peter Paul Rubens geboren. Aus dem Haus Nassau-Siegen stammt Prinz Moritz (1604–1679) – holländischer Gouverneur von Brasilien, wo er Mauritsstad gründete, das heutige Recife, später kurbrandenburgischer Statthalter in Kleve. Hier schuf er den in großen Teilen noch heute vorhandenen Tiergarten und die von Linden gesäumten Alleen, nach Klever Lesart Vorbild des Berliner Tiergartens und der Straße Unter den Linden.

1645 notierte Matthaeus Merian: »Solingen, im Herzogthum Berg, da gute Wehrklingen gemacht werden…« Schon früh betrieb man an den Ufern eiliger Flüsse und Bäche Hammerschmieden. Noch heute fertigt man in Solingen Messer, Scheren, Rasierklingen, früher auch

of Christ in the Chapel of the Cross on the Bigge bridge, the work of F. A. Ruegenberg, a local religious artist. In the Middle Ages, the Counts of Wittgenstein and the monastery shared the ownership of the little town of Berleburg, until it came under the sole control of the Princes of Sayn-Wittgenstein in 1322. The castle has a library containing manuscripts and rare printed books. North of Berleburg is Winterberg, founded in ca. 1265 as a trading centre on the cross-roads of several important trading routes. The hall church was built by bricklayers from Tyrol at the turn of the nineteenth century. The lower levels of the west tower are Romanesque. Winterberg, with its ski-slopes, ski-jump, cross-country ski, toboggan and bobsleigh runs, is the leading winter sport resort in the Sauerland and the highest village in North Rhine-Westphalia.

burg se trouve la ville hanséatique de Winterberg, fondée vers 1265 comme lieu de stockage, au croisement d'importantes voies commerciales. L'église, une halle, fut érigée vers 1800 par des maçons tyroliens. La tour ouest est encore d'origine romane aux étages inférieurs. Avec ses pistes de ski, ses pistes de ski de fond, son tremplin de saut, sa piste de luge et sa piste de bob, Winterberg est la plus grande station de ski du Sauerland et la localité la plus élevée de Rhénanie-Westphalie.

Le peintre flamand Peter Paul Rubens naquit à Siegen en 1577. Le prince Moritz (1604–1679) – gouverneur hollandais du Brésil, où il fonda Mauritsstad, l'actuelle Recife, puis gouverneur de la Kurbrandenburg à Kleve – est issu de la maison de Nassau-Siegen. Il y créa le jardin zoologique et les allées bordées de tilleuls qui existent toujours et ont servi de modèles au jardin zoologi-

que de Berlin et à l'avenue Unter den Linden. Il mourut à Kleve et repose à Siegen dans le caveau princier érigé par Pieter Post.

En 1645, Mattaeus Merian rédigea quelques notes au sujet de »Solingen, dans le duché de Berg, où l'on fabrique de bonnes lames«. Très tôt, des forges furent installées sur les rives des rivières et ruisseaux aux eaux bouillonnantes. Aujourd'hui ecore, on fabrique à Solingen des couteaux, des ciseaux, des lames de rasoir; autrefois on y faisait même des lames d'épées et de sabres. Remscheid est célèbre pour ses outils: marteaux, limes, scies, faux et ustensiles ménagers; Velbert pour ses serrures en tous genres. La »petite industrie métallique« est une activité ancienne, toujours florissante.

Wuppertal est dotée d'un chemin de fer suspendu, soutenu par de puissants piliers; le train circule entre de hauts bâtiments au-dessus des rues et la Wupper. Il est interdit de sauter en chemin. Les ducs de Berg sont originaires de Burg sur la Wupper, dont le château datant du début du 12e siècle fut détruit au 17e siècle, reconstruit vers 1900, et représente désormais une sorte de »monument national du Bergische Land«. L'histoire de la cathédrale d'Altenberg, une ancienne église abbatiale des cisterciens et tombeau des princes de Berg, se déroula de manière analogue. La basilique à

Degen- und Säbelklingen. In Remscheid sind es Werkzeuge: Hämmer, Feilen, Sägen, Sensen, Haushaltsmaschinen, und in Velbert Schlösser aller Größen und Arten.

In Wuppertal fährt die Straßenbahn mit den Rädern nach oben auf Schienen, die von mächtigen Pfeilern getragen werden, zwischen hohen Häusern hoch über die Straßen und die Wupper dahin und nennt sich »Schwebebahn«. Abspringen während der Fahrt verboten!

Stammsitz der Herzöge von Berg war Burg an der Wupper, dessen Schloß aus dem frühen 12. Jahrhun-

Peter Paul Rubens was born in Siegen in 1577. Prince Moritz (1604–1679) is from the House of Nassau-Siegen. He was the Dutch governor of Brazil, where he founded Mauritsstadt (today Recife), and later governor in Kleve for the Brandenburg electorate. It was here that he created the zoo which is still maintained today and the avenues lined with lime trees. According to people in Kleve, his innovations were the inspiration behind the zoo and the avenue »Unter den Linden« in Berlin. Prince Moritz died in Kleve and is buried in the

Oben: Natur pur: die Verse bei Werdohl.
Rechts: Die größte Attraktion des Luftkurortes Freudenberg ist die einzigartige Fachwerkbebauung.

Above: Unspoilt nature – the Verse River near Werdohl.
Right: Health resort Freudenberg's greatest attraction lies in its timber-framed buildings.

En haut: Nature pure: la Verse, près de Werdohl.
A droite: La plus grande attraction de la station climatique de Freudenberg est constituée par les extraordinaires maisons à colombage.

dert stammt, im 17. Jhdt. zerstört, um 1900 historisierend wiederaufgebaut wurde und nunmehr eine Art »Nationaldenkmal des Bergischen Landes« darstellt. Ähnlich verlief die Geschichte des Altenberger Doms, einer ehemaligen Abteikirche der Zisterzienser und Grablege der bergischen Fürsten. Die dreischiffige Basilika mit ebenfalls dreischiffigem Querhaus und fünfschiffigem Chor verfiel nach einem Brand im Jahr 1815 mehr und mehr, bis sie endlich um 1900 durchgreifend restauriert wurde. Was jedoch Heinz Peters, beeindruckt von der Schönheit des Bauwerks und seiner Lage in einem Waldtal, schrieb, gilt bis auf den heutigen Tag:

»Altenberg, eine Perle der rheinisch-französischen Gotik, die Grabkirche der Herrscher, die dem Lande den Namen gaben, bildet das Herzstück und den künstlerischen Höhepunkt des Bergischen Landes. Hier rauschen in der Stille des Tales noch die Wälder wie vor achthundert Jahren, als die Geschichte des Bergischen Landes begann.«

royal vault built by Pieter Post in Siegen.

In 1645 Matthaeus Merian wrote about »Solingen, in the duchy of Berg, where good blades are made«. Hammer mills had been set up on the banks of fast rivers and streams even earlier than that. Dagger and sable blades used to come from Solingen; knives, scissors and razor blades are still made there today. Remscheid produces tools, such as hammers, files, saws, scythes and household machines and Velbert specialises in locks of all shapes and sizes. The »small iron trade« was then as it is now a thriving industry.

In Wuppertal the trams have their wheels attached to their roofs and run along tracks supported by massive pillars between tall houses, high above the streets and the Wupper river. They call it the »Schwebebahn«, the »suspended tramway«. Passengers are forbidden to alight while the tram is in motion!

trois nefs, avec transept à trois nefs et choeur à cinq nefs, fut ravagée par un incendie en 1815 et se délabra de plus en plus, jusqu'à ce qu'elle soit enfin complètement restaurée vers 1900.

Néanmoins, ce qui impressionna Heinz Peters, à savori la beautè du bâtiment et son site dans une vallée boisée, il y a plusieurs diraines d'années, est toujours valable: »Altenberg, perle du gothique franco-rhénan, église funéraire des souverains qui donnèrent leur nom ou pays, constitue le cœur et le summum artistique du Bergische Land. Dans la vallée silencieuse, les boïets bunisent toujours comme il y a 800 ans, époque à laquelle commança l'histoire du Bergische Land.

Links: In Solingen-Gräfrath wurde das alte Ortsbild mit den schiefer-verkleideten Häusern erhalten. Oben und Unten: Schieferverarbei-tung in Fredeburg im Hochsauer-landkreis.

Left: In Solingen-Gräfrath, the old slate-tiled houses have helped the little town retain its character.

Above and below: Working slate in Fredeburg in the Hochsauerland area.

A gauche: A Solingen-Gräfrath, les maisons anciennes aux toits d'ardoises ont été conservées. En haut et en bas: Traitement des ardoises à Fredeburg, dans le Hoch-sauerland.

Oben: Auf einem Bergrücken bei
Bergisch-Gladbach überragt Schloß
Bensberg das Rheintal.

Above: From the ridge of a hill,
Bensberg Castle towers over the
Rhine Valley near Bergisch-
Gladbach.

En haut: Sur une colline située aux
environs de Bergisch-Gladbach,
le château de Bensberg domine la
vallée du Rhin.

*Unten rechts und links: Der Alten-
berger Dom, idyllisch in einem
Tal bei Odenthal gelegen, gilt als
eine der größten Kostbarkeiten der
gotischen Baukunst.*

*Unten rechts und links: Der Alten-
berger Dom, idyllisch in einem
Tal bei Odenthal gelegen, gilt als
eine der größten Kostbarkeiten der
gotischen Baukunst.*

*Below right and left: Altenberg
Cathedral is considered one of the
greatest treasures of Baroque
architecture.*

*En bas, à droite et à gauche:
La cathédrale d'Altenberg est
considérée comme l'un des joyaux
de l'architecture gothique.*

Wuppertal: Die Schwebebahn, bereits zu Beginn des Jahrhunderts erbaut, wurde zum Wahrzeichen der Stadt.

Wuppertal: The suspended tramway, built at the beginning of this century, has become the town's symbol.

Wuppertal: Le chemin de fer aérien construit au début du siècle est devenu l'emblème de la ville.

*Oben: Die Stütings Mühle in
Warstein-Belecke.
Unten: Bei Balve-Wocklum wird ein
Kohlemeiler aufgeschichtet.
Seite 114: Auf dem Kahlen Asten
(841 Meter).*

*Above: Stütings Mill in Warstein-
Belecke.
Below: A charcoal kiln in the
process of being built.
Page 114: On the Kahle Asten
mountain (841 metres high).*

*En haut: Le moulin Stütings à
Warstein-Belecke.
En bas: Pile à charbon entassée.
Page 114: Sur le Kahler Asten
(841 mètres).*

Hoch über der Lenne thront die Burg
Altena (oben). Die Burgruine wurde
zwischen 1906 und 1915 nach alten
Plänen wieder aufgebaut und ist
heute Jugendherberge und Museum:
Landsberger Zimmer (unten),
Rittersaal (rechts).

Altena Castle crowns a hilltop high
up above the Lenne River. The castle
ruins were rebuilt according to old
plans between 1906 and 1915 and
this historical building is today a

youth hostel and museum. Here we
see the Landsberger Zimmer (below)
and the hall (right).

Le château d'Altena (en haut)
trône au-dessus de la Lenne.
Les ruines du château ont été
reconstruites entre 1906 et 1915
d'après d'anciens plans et abritent
aujourd'hui une auberge de jeunesse
et un musée: Landsberger Zimmer
(en bas) et salle des chevaliers
(à droite).

Die Region bietet mit zahlreichen Seen und Flüssen alle Möglichkeiten zum Wassersport. Möhne-Stausee (oben), Aggertalsperre (rechts oben), Hönnetal bei Balve (rechts unten).

With its many lakes and rivers, the region offers a wide range of water sports: Möhne Lake (above), Agger Dam (above right) and Hönnetal Valley near Balve (below right).

Grâce à ses nombreux lacs et rivières, la région permet de s'adonner à toutes sortes de sports nautiques. Barrage de la Möhne (en haut), barrage de la vallée de l'Agger (en haut, à droite), vallée de la Hönne, près de Balve (en bas, à droite).

Siegen, bereits im 11. Jahrhundert erwähnt, entwickelte sich von einer Erzbaustadt zum Zentrum der Fertigung hochwertiger Stahlerzeugnisse.
1577 wurde hier Peter Paul Rubens geboren.

Siegen, first documented in the eleventh century, has grown from a small ore mining town to become the production centre of high-grade steel products.
Peter Paul Rubens was born here in 1577.

La ville de Siegen était déjà citée dans des documents du 11ᵉ siècle; elle traita le minerai, puis devint le centre de la production d'acier de haute teneur.
Le peintre Peter Paul Rubens naquit dans cette ville en 1577.

Im Siegerland, hier bei Hilchenbach, gibt es noch viele abgeschiedene Täler, die zu Spaziergängen und Wanderungen einladen.

In the Siegerland, here near Hilchenbach, there are still many secluded valleys, inviting nature-lovers to take a walk or go for a hike.

Dans le Siegerland, ici près de Hilchenbach, beaucoup de vallées solitaires invitent encore à se promener et à partir en randonnée.

Köln, Bonn und Aachen
The area around Cologne, Bonn and Aachen
Autour de Cologne, de Bonn et d'Aix-la-Chapelle

Mit der rechteckig, nahezu unverändert und lückenlos die kleine Stadt umschließenden Mauer aus Basalt, Tuff, Drachenfelstrachyt und Backstein, den Wehrtürmen an allen vier Ekken, den Schwalbennestern ähnelnden Wachthäuschen auf der Mauer sowie mit der an die Mauer sich lehnenden, noch als Ruine eindrucksvollen Burg Friedestrom bietet Zons am Rhein das vollendete Bild einer Festung des 14. Jahrhunderts. Schaut man jedoch von der Stadtmauer hinaus nach Süden, türmt sich an beiden Ufern des Stroms mit den chemischen Werken und sonstigen Fabriken von Dormagen, Worringen, Monheim und Leverkusen die modernste Industrielandschaft unserer Tage auf. Der Kontrast könnte nicht schärfer sein.

Nördlich von Erkelenz erstreckt sich der Naturpark Schwalm-Nette bis ins Niederrheinische, südöstlich von Aachen zieht sich der Naturpark Nordeifel nach Belgien hinein, und östlich von Bonn liegt der Kottenforst, ebenfalls ein Naturpark.

With its rectangular wall of basalt, tuff, bricks and trachyte from the Drachenfels mountain which completely encircles the little town, Zons am Rhein is today still the epitome of a perfect fourteenth-century fortified town. The wall remains almost unaltered, with defensive towers at all four corners, small watch towers resembling swallows' nests perched at various intervals and the impressive yet ruinous Friedestrom Castle, propped up against the town ramparts. Standing on the town and looking south, however, you will see towers of a quite different nature lining both sides of the Rhine, name-

Avec sa muraille rectangulaire en basalte, tuff, strachyte du Drachenfels et brique qui l'entoure, presque inchangée et complète; avec ses tours de défense aux quatre coins, ses maisons de guet semblables à des nids d'hirondelles sur le mur; avec son château, Friedestrom, qui s'appuie contre la muraille et est toujours impressionnant comme ruine, Zons am Rhein présente l'image accomplie d'une fortification du 14ᵉ siècle. Toutefois, si l'on regarde vers le sud, on a devant soi, sur les deux rives du fleuve, le paysage industriel le plus moderne qui soit – avec les usines chimiques et diverses fabriques de Dormagen, Worringen, Monheim et Leverkusen. Le contraste ne saurait être plus grand.

La réserve naturelle de Schwalm-Nette s'étend au nord d'Erkelenz, jusque dans la région du Rhin inférieur; au sud est d'Aix-la-chapelle, le parc naturel de l'Eifel du nord s'étire en direction de la Belgique; à l'est de Bonn, enfin, s'étend un troisième parc naturel, le Kotten-

Oben: Der Dom zu Köln.
Links: Groß St. Martin am Fischmarkt in Köln.
Seite 122/123: Eine Höhe von 75 Meter erreicht das Langschiff des Kölner Doms.

Above: Cologne Cathedral.
Left: St. Martin's Church on Fischmarkt Square in Cologne.
Page 122/123: The nave of Cologne Cathedral is a staggering 75 metres high.

En haut: La cathédrale de Cologne.
A gauche: L' église de St Martin à Cologne.
Page 122/123: La grande nef de la cathédrale de Cologne atteint une hauteur de 75 mètres

Östlich von Köln dagegen, um Frechen und Türnich, verschlingt der Braunkohlen-Tagebau Felder, Wiesen und Wälder, ebenso ganze Dörfer und damit Heimat. Zwei, drei Kilometer lange Gruben tun sich auf, wo Riesenbagger die vielleicht vierzig Meter starke Braunkohleschicht abschürfen. Großraumwaggons transportieren die Kohle zu den Kraftwerken oder Brikettfabriken, deren Schornsteine, Werkhallen und Kühltürme den Horizont verstellen. Indessen regeneriert sich die vom Menschen brutal ausgebeutete Landschaft erneut mit Hilfe des Menschen – wo sich unlängst noch die ausgeschürften Gruben dehnten, öd und leer, grünt es wieder, größere

ly those of our modern-day industry, of the chemical plants and other factories at Dormagen, Worringen, Monheim and Leverkusen. The contrast couldn't be more extreme.

North of Erkelenz the Schwalm-Nette Nature Reserve stretches into the Lower Rhine region; south-east of Aachen we have the North Eifel National Park running into Belgium and east of Bonn is another nature park, the Kottenforst. Yet east of Cologne, near Frechen and Türnich, fields, meadows and forests, even whole villages and with it our natural heritage are devoured by the open-cast brown coal mines. Sand martins nest in pit embankments and young trees form new woods.

forst. A l'est de Cologne, par contre, vers Frechen et Türnich, l'extraction de la houille dévore les champs, les prés, les forêts et même des villages entiers. Des hirondelles se nichent dans les talus des mines, de jeunes forêts poussent. Les contrastes se trouvent souvent en eux-mêmes.

Il n'y a rien de plus romantique que les ruines du château de Lechenich, au sud du bassin houiller. L'image des quatre tours et du bâtiment principal du château se reflète dans les fossés alimentés par l'Erft. Les choucas entrent et sortent au travers des ouvertures de fenêtres. Tout autour, ce ne sont que fourrés, vieux arbres et saules pleureurs.

Avec leurs remparts, leurs fossés, leurs portes, leurs château, ou ce qui en reste, Erkelenz, Heinsberg et Geilenkirchen témoignent des querelles qui couvaient constamment entre les villes de Cologne, de Gerldern, de Kleve, de Berg et de Jülich du 14e au 16e siècle. Un »calvaire« avec un intéressant groupe de trois crucifiés se trouve sur le pont de l'Erft, à Bergheim; il fut créé en 1728 par le düsseldorfois Christian Litz, élève de Grupello.

Avec sa citadelle construite en 1550 par Alessandro Pasqualini, Jülich possède l'un des plus impressionnants monuments de la Renaissance italienne. Monschau, ancien-

Die Region westlich von Köln ist vom Braunkohle-Tagebau geprägt: Ein Heizkraftwerk bei Grevenbroich (oben), Garzweiler (rechts oben), Königshoven (rechts unten).

Open-cast brown coal mining is the main industrial feature of the region to the west of Cologne. Here a thermal power station near Grevenbroich (above), Garzweiler (above right) and Königshoven (below right).

La région qui s'étend à l'ouest de Cologne est marquée par l'extraction de la lignite. Centrale thermique près de Grevenbroich (en haut). Garzweiler (en haut à droite), Königshoven (en bas, à droite).

und kleinere Gewässer blinken im Sonnenlicht, Schilf rauscht im Wind, Uferschwalben nisten in Grubenböschungen, junge Wälder wachsen heran. Hier liegen die Kontraste nicht selten in sich selber.

Nichts Romantischeres als die Ruine der kurkölnischen Burg Lechenich südlich des Braunkohlegebiets. In den von der Erft gespeisten Gräben malt sich das Spiegelbild der vier Türme und des Palas der Burg. Durch leere Fensterhöhlen fliegen Dohlen ein und aus. Rundum Dickichte, alte Bäume, Trauerweiden. Im Torbau der Vorburg ein aus jüdischen Grabsteinen gemeißelter Fries des 14. Jahrhunderts; sie stammen aus Köln, wo man, aufgestachelt von Wandermönchen, wieder einmal das Ghetto gestürmt, Juden totgeschlagen und ihren Friedhof geschändet hatte.

Jülich besitzt mit der 1550 von Alessandro Pasqualini erbauten Zitadelle eines der eindrucksvollsten Baudenkmäler der italienischen Hochrenaissance. Monschau, früher Montjoie, tief im Naturpark Nordeifel und nur einen Katzensprung von der belgischen Grenze entfernt, liegt malerisch in einer Rurschleife zwischen steilen bewaldeten Berghängen. In schmalen Straßen, wo Brücken immer wieder über die rauschende Rur führen, und in noch engeren Steil- oder gar Treppengassen begegnet man entzückenden Häusern des späten 18. Jahrhunderts. Sie bestehen aus Backstein, besitzen Hausteinrahmungen an Fenstern und Türen, sind nicht selten verschiefert, tragen üppig

Often the contrasts are to be found in themselves.

South of the brown coal mining area, ruined Lechenich Castle, once under the ownership of Cologne, offers one of the most romantic images of the region. The castle's four towers and hall are reflected in the moats watered by the Erft. Jackdaws fly in and out of the empty window frames. Thickets, old trees and weeping willows cluster round the walls.

With old earthworks, ditches, moats, town gates, castles, or the re-

nement Montjoie, au beau milieu du parc naturel de l'Eifel du nord et tout près de la frontière belge, occupe un emplacement pittoresque dans une boucle de la Ruhr, entre des versants à pic boisés. On peut voir de ravissantes maisons de la fin du 18e siècle dans d'étroites rues, où des ponts traversent la Ruhr murmurante, et dans des ruelles à pic ou en escalier encore plus étroites.

La Ville de Düren est déjà citée comme palatinat de Franconie en 774; elle fut ensuite considérée comme »joyau« du duché de Jülich,

geschweifte Giebel, prunken mit Rokokoschnitzereien an Haustüren und heißen »Zum Pelikan«, »Rotes Haus« oder »Zum Helm«.

Düren wird schon 774 als fränkische Kaiserpfalz erwähnt, galt später als »Augapfel« des Herzogtums Jülich, war entsprechend stark befestigt und stieg im 18. Jahrhundert durch seine Papiermühlen zur wohlhabenden Industriestadt auf. Am Ende des Zweiten Weltkriegs zählte Düren zu den schwerstzerstörten Städten Deutschlands und der nahe Hürtgenwald zu den blutigsten Schlachtfeldern im Westen. Zülpich besitzt eine römische Badeanlage aus der Römerzeit, während Kommern als eines der hübschesten Fachwerkdörfer im Rheinland gerühmt wird. Schleiden im Olef-Tal kuschelt sich wie so manches Städtchen hierzulande an den Fuß eines Burgbergs; die Pfarrkirche ist ein Juwel spätgotischer Baukunst. Bad Münstereifel verdankt seinen Ursprung einem 830 gegründeten Benediktinerkloster.

Drüben am rechten Rheinufer zieht sich, von weitem sichtbar, als bläuliches Panorama das Siebenge-

mains thereof, Erkelenz, Heinsberg and Geilenkirchen bear witness to the constant warring between Cologne, Geldern, Kleve, Berg and Jülich between the fourteenth and sixteenth centuries. A calvary with its interesting three-figure crucifixion group stands of the Eft bridge in Bergheim, sculptured in 1728 by Christian Litz from Düsseldorf, one of Grupelo's pupils.

Jülich has one of the most impressive historical monuments to the Italian High Renaissance in its citadel, built by Alessandro Pasqualini in 1550. Monschau, which used to be called Montjoie, lies deep in the North Eifel National Park and is only a stone's throw from the Belgian border. The town peacefully rests on a bend in the Ruhr between sheer, wooded mountain slopes. Charming houses from the late eighteenth century nestle in narrow streets, where bridges cross the roaring River Ruhr in abundance, or lean precipitously in even steeper alleys, some even with steps running up them.

Düren is mentioned in documents from 774 as a Franconian imperial

et fortifée en conséquence, et se métamorphosa en centre industriel prospère au 18e siècle grâce à ses moulins à papier. A la fin de la Deuxième Guerre mondiale, Düren se trouvait parmi les villes allemandes les plus touchées, et le proche Hürtgenwald était l'un des champs de bataille les plus sanglants de l'Occident. Zülpich possède des thermes romains datant de l'époque romaine, tadis que Kommern est l'un des plus jolis villages rhénans avec maisons à colombages. Comme maint village de la région, Schleiden, dans la vallée de l'Olef, se niche au pied d'une hauteur surmontée d'un château. L'église paroissiale est un joyau du gothique finissant. Bad Münstereifel doit son origine à un monastère bénédictin fondé en l'an 830.

De l'autre côté, sur la rive droite du Rhin, se trouvent, visibles de loin, les Sept Monts qui offerent un superbe panorama aux tons bleutés. L'un des sept monts est le Drachenfels, au-dessous duquel est située la ville de Königswinter. Au Moyen-Age, il y avait là de célèbres carrières de trachyte. Depuis l'époque du

birge hin. Einer seiner sieben Berge ist der Drachenfels, unter dem Königswinter liegt. Im Mittelalter besaß es berühmte Trachyststeinbrüche. Die Burgruine auf dem 321 Meter hohen Drachenfels gehört seit den Tagen der Romantik zu den meistbesuchten des Rheinlandes.

Karneval ist in Köln die »fünfte Jahreszeit«. Die Rosenmontagszüge von Köln und Düsseldorf sind große Fernseh-Ereignisse. Und auch in Aachen, wo man alljährlich in der »jecken Zeit« den »Orden wider den tierischen Ernst« verleiht, ist Karneval kein Fremdwort.

Köln – Colonia Agrippensis – ist eine Römergründung. Davon kün-

residence; it was later the »watchtower« of the Duchy of Jülich and was thus heavily fortified, and in the eighteenth century its paper mills made it into a prosperous industrial town. At the end of the Second World War, Düren was one of the most heavily destroyed towns in Germany and the neighbouring Hürtgen Forest was one of the bloodiest battlefields in the West. Zülpich has Roman baths and Kommern is prided as one of the prettiest timbered villages in the Rhineland. Like many a small town in this area, Schleiden in the Olef Valley huddles at the foot of a castle hill. Its parish church is a jewel of late Gothic archi-

romantisme, les ruines de château, sur le Drachenfels qui culmine à 321 mètres d'altitude, font partie des ruines les plus visitées de la Rhénanie.

A Cologne, le carnaval est la »cinquième saison«. Les défilés du lundi gras, à Cologne et à Düsseldorf, sont de grands événements télévisés. Il en va même à Aix-la-Chapelle où l'on confère tous les ans l'«ordre contre la stupidité« pendant la »folle période«.

Cologne – Colonia Agrippensis – est une fondation romaine. La Römerturm, la mosaïque de Dionysos et de nombreuses trouvailles en témoignent.

Oben: Blick über Bad Godesberg zum Siebengebirge.
Seite 128: Bonn wartet mit vielen prächtig renovierten Gebäuden auf. Im Schloß (rechts) residiert heute die Universität.

Above: View of Bad Godesberg and the Siebengebirge mountains.
Page 128: Bonn has many beautifully restored buildings to offer the visitor. The Palace (right) today houses part of the university.

En haut: Vue sur Bad Godesberg et le Siebengebirge.
Page 128: Bonn propose un granc choix de bâtiments magnifiquement rénovés. Aujourd'hui, le château (à droite) abrite l'université.

den der Römerturm, das Dionysos-Mosaik und zahlreiche Bodenfunde. Die Grundsteinlegung des Doms, einer fünfschiffigen Kathedrale mit einem das Stadtbild beherrschenden Doppelgetürm, erfolgte 1248, die Fertigstellung jedoch erst sechshundert Jahre später, im 19. Jahrhundert. 1288 besiegten Kölner Bürger in der Schlacht von Worringen ein erzbischöfliches Heer und zwangen die Erzbischöfe, künftig statt in Köln in Bonn und Brühl zu residieren. Köln besitzt etwa dreißig historische Kirchen; manche tragen so beredte Namen wie Elendskirche oder St. Maria in der Kupfergasse. Plektrudis, Gemahlin Pippins, grün-

tecture. Bad Münstereifel owes its existence to the Benedictine monastery founded here in 830.

Over on the right bank of the Rhine the blue panorama of the Siebengebirge mountains stretches out along the horizon; they are visible from miles away. The Drachenfels above Königswinter is one of its seven mountains. In the Middle Ages it was the site of famous trachyte quarries. The castle on top of the 321 m high Drachenfels remains one of the most patronised ruins in the Rhineland since the Romantic period.

»Carneval« is Cologne's »fifth season«. The carnival processions in

La cathédrale, un édifice à cinq nefs avec une tour double surplombant la ville, fut commencée en 1248, mais ne fut achevée que 600 ans plus tard, au 19e siècle. En 1288 les habitants de Cologne vainquirent une armée épiscopale au cours de la bataille de Wörringen et contraignirent les archevêques à quitter Cologne pour aller résider à Bonn et à Brühl. Cologne possède une trentaine d'églises historiques; certaines ont des noms significatifs comme Elendskirche (église de la détresse) ou Sankt-Maria in der Kupfergasse (Sainte-Marie dans la rue au cuivre). Plektrudis, épouse de Pépin, fonda l'église Sainte-Marie-au-Capi-

Rechts: Hochwasser - fast jährlich überflutet der Rhein die Kölner Altstadt.
Links: Einkaufspassage Olivandenhof, Köln.

Right: The waters of the Rhine flood Cologne's old town nearly every year.
Left: Olivandenhof shopping centre, Cologne.

A droite: Inondations - presque chaque année, le Rhin inonde la vieille ville de Cologne.
A gauche: Galerie marchande Olivandenhof, à Cologne.

dete um 650 St. Maria im Kapitol.

Auf ein im Jahr 12 v. Chr. angelegtes römisches Rheinkastell geht die Geschichte Bonns zurück. Ein architektonisches Juwel von 1150 ist auf dem rechten Rheinufer, in Schwarzrheindorf, die Doppelkapelle St. Klemens, von der Georg Dehio sagte: »Der kleine Bau nimmt kunstgeschichtlich einen hohen Rang ein«. 1770 wurde in Bonn Ludwig van Beethoven geboren, auf dem Alten Friedhof ruhen Ernst Moritz Arndt, Wilhelm August Schlegel und Robert und Clara Schumann. Villa Hammerschmidt, Palais Schaumburg und der »lange Eugen« werden weiterhin an Bonns jahrzehntelange Rolle als provisorische Bundeshauptstadt erinnern.

Aachen – Römerbad, Stadt der Tuchmacher, Printenbäcker und internationaler Reitturniere – liegt am

Cologne and Düsseldorf are major televised events. Carnival is also no foreign concept to Aachen, where every year a »medal against deadly seriousness« is awarded in the »period of jest«.

In 1248 the foundations were laid for Cologne Cathedral, which has five aisles and two spires which tower above the town. It wasn't

tole vers 650. Theophanu, épouse de l'empereur Otto III, repose dans l'église Saint-Pantaleon.

Bonn est une ville d'origine ancienne; un fort romain fut érigé à cet emplacement en l'an 12 av.-J.C. Un joyau architectonique de 1150 est situé sur la rive droite du Rhin, à Schwarzrheindorf; il s'agit là de la double chapelle Saint-Clement, dont

Rande von Eifel und Ardennen im Dreiländereck zwischen Holland, Belgien und Deutschland. »Knüpfen viele Städte ihren Ursprung an den Namen Karls des Großen, so ist doch keine so wie Aachen mit ihm verbunden, so ganz sein Werk«, sagte Ricarda Huch. In den Thermalquellen badete, wie einst die Römer, auch er »offt, vil und mit sonderem lust«. Um 795 schenkte der Kaiser seiner Pfalz eine oktogene Kapelle, die sich im Laufe der Zeit durch vielerlei Zubauten zum jetzigen Dom entwickelte. Die karolingische Kapelle erhielt 1669 eine Barockkuppel, doch bereits 1414 war eine aller irdischen Schwere enthobene Chorhalle mit bis unters Gesims reichenden gotischen Maßwerkfenstern sowie ein Kapellenkreuz hinzugekommen. Weitere Anbauten erfolgten 1788, wogegen der gotisierende Turm mit seinem Spitzhelm eine Zutat des späten 19. Jahrhunderts ist… Auf den Fundamenten der karolingischen Pfalz erhebt sich das im 13. Jahrhundert erbaute, freilich in späterer Zeit mehrmals

completed until six hundred years later, however. In 1288 the citizens of Cologne defeated the archiepiscopal army in the Battle of Worringen and thus forced the archbishops to set up residence in Bonn and Brühl instead of in Cologne. The city has approximately thirty historical churches; some have rather unusual names, much discussed in interested circles, such as the »Elendskirche« (the Church of Misery or Poverty) or »St. Maria in der Kupfergasse«. Pippin's wife, Plektrudis, founded St. Maria im Kapitol in ca. 650.

Bonn's history goes back to a Roman fort built on the Rhine there in 12 B.C. On the right bank of the Rhine stands the two-storeyed church of St. Clement's, an architectural gem from 1150. George Dehio, a famous art historian, claims that »the little building has an important place in art history«. The Royal Palace, today part of the university, and Clemensruhe Palace, completed by Balthasar Neumann, are both products of the eighteenth century. In nearby Brühl, François Cuvilliès built Falkenlust Palace and also worked on Augustusburg Palace, as did Johann Conrad Schlaun and Neumann. Ludwig van Beethoven was born in Bonn in 1770, and in Bonn's cemetery, Ernst Moritz Arndt, Wilhelm August Schlegel and Robert and Clara Schumann lie buried.

Aachen, an old Roman spa, is famous for its clothworkers, gingerbread bakers and riding tournaments. It is situated on the edge of the Eifel and the Ardennes at the

Georg Dehio disait: »Cette petite construction occuppe une place capitale du point de vue de l'histoire de l'art«. La résidence des princes électeurs, aujourd'hui université, et le château de Clemensruhe, oeuvre de Balthasar Neumann, datent du 18e siècle. Tout près, à Brühl, François Cuvilliès érigea le château de Falkenlust; Johann Conrad Schlaun, Cuvilliès et Neumann bâtient l'Augustusburg. Ludwig van Beethoven naquit à Bonn en 1770; Ernst Moritz Arndt, Wilhelm August Schlegel, Robert et Clara Schumann reposent dans l'ancien cimetière.

Aix-la-chapelle – termes romains, ville des drapiers, des fabricants de Printen (pains d'épices durs) et de concours hippiques internationaux – est située au bord de l'Eifel et des Ardennes, dans la zone des trois pays, Hollande, Belgique et Allemagne. De nombreuses villes lient leur origine au nom de Charlemagne, mais aucune n'est plus liée à lui qu'Aix-la-Chapelle, qui est entièrement son oeuvre«, dit un jour l'écrivain Ricarda Huch. Comme les Romains avant lui, il se baignait dans les sources thermales, »souvent, beaucoup et avec un plaisir particulier«. Vers 795, l'empereur dota son palais d'une chapelle octogonale qui se transforma, avec les années et les divers rajouts, pour devenir l'actuelle cathédrale. Sur les fondements du palais carolingien s'élève l'hôtel de ville construit au 13e siècle et maintes fois modifié; sa façade est ornée de 50 statues représentant des souverains allemands. Après le sacre des rois ou empereurs

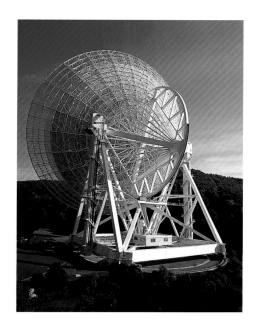

veränderte Rathaus mit seiner von 50 Statuen deutscher Herrscher geschmückten Fassade. Im Reichssaal des Rathauses ließ man sich nach den Krönungen deutscher Könige oder Kaiser zum feierlichen Krönungsmahl nieder. Ein Anbau des Rathauses heißt »Postwagen«, eine gemütliche Kneipe. Ihr vorkragendes Obergeschoß trägt mit Schnitzereien verziertes Balkenwerk. Für nicht wenige Aachener ist freilich das Rathaus eher ein Anbau des Postwagens… Man kann jedoch von Aachen nicht sprechen, ohne seine Printen zu erwähnen, Backwerk aus Pfefferkuchenteig, und wenigstens einige seiner Brunnen mit Namen zu nennen: Fischpüddelchen, Türelüre-Lißje, Hühnerdieb… Indessen steht der prächtigste Brunnen vor dem Rathaus und wird von einer Statue Kaiser Karls bekrönt.

point where Holland, Belgium and Germany meet. »Although many towns and cities trace their origins back to Charlemagne, Aachen is probably most closely linked to him; it is, in fact, entirely his creation«, Ricarda Huch once said. He, too, like the Romans, bathed in the thermal baths »often and with great enthusiasm«. The Emperor built an octagonal chapel for his imperial city in ca. 795, which after many additions through the centuries has become today's cathedral.

But we can't really talk about Aachen without mentioning its famous gingerbread Printen biscuits or some of its many fountains, with have names such as »Fischpüddelchen«, »Türelüre-Lißje« and »Hühnerdieb«… The most impressive of them all, however, stands in front of the town hall and is crowned with the statue of Emperor Charlemagne.

allemands, on donnait en effet un banquet dans la salle impériale de l'hôtel de ville. Une annexe de l'hôtel de ville a été surnommée »Postwagen« (voiture postale) et a été transformée en agréable taverne. L'étage supérieur en saillie est surmonté de poutres sculptées. Pour beaucoup d'habitants d'Aix-la-Chapelle, à vrai dire, l'hôtel de ville est plutôt une annexe de la »voiture postale«… On ne peut toutefois pas évoquer Aix-la-Chapelle sans citer ses »Printen« (pains d'épices durs) et au moins quelques-unes de ses fontaines: Fischpüddelchen, Türelüre-Lissje, Hühnerdieb… Quoi qu'il en soit, la plus belle fontaine se trouve devant l'hôtel de ville et est couronnée par une statue de l'empereur Charlemagne.

Oben: Bad Münstereifel, ein hübsches Städtchen mit Horchposten ins All.
Links: Der Thron Karls des Großen im Münster zu Aachen.

Above: Bad Münstereifel, a pretty little town with high-tech links to Outer Space.
Left: Charlemagne's throne in Aachen Minster.

En haut: La jolie petite ville de Bad Münstereifel, avec un poste surélevé sur l'univers.
A gauche: Le trône de Charlemagne dans la cathédrale d'Aix-la-Chapelle.

Links: Bereits als römische Stadt
war Köln eine Metropole.
Oben: Das Museum Ludwig, Stif-
tung eines Schokoladenfabrikanten,
vor der Kulisse des Kölner Doms.
Unten: Am Fischmarkt, einem der
schönsten Plätze in Kölns Altstadt.

Left: Cologne was a metropolis even
in Roman times.
Above: Museum Ludwig, endowed
by a leading chocolate manufactur-
er, against the backdrop of Cologne
Cathedral.
Below: Fischmarkt Square, one of
the finest in the old part of Cologne.

A gauche: Cologne était déjà une
métropole du temps des Romains.
En haut: Le Musée Ludwig, dona-
tion d'un fabricant de chocolat,
devant la coulisse de la cathédrale
de Cologne.
En bas: Le Fischmarkt, l'une des
plus belles places de Cologne.

*Kölsch, ein obergäriges helles Bier,
ist der Kölner ureigenstes Getränk –
über 2000 Lokale laden zu Einkehr.*

*Kölsch, a top fermented, light-
coloured beer, is Cologne's very own
alcoholic speciality. Over 2,000
pubs tempt the tired visitor to come
in for some liquid refreshment.*

*Le Kölsch, une bière à fermentation
élevée, est la boisson la plus
typique de Cologne – plus de
2000 bistrots invitent à entrer se
restaurer.*

Köln ist zu einer der wichtigsten
Adressen von Künstlern und
Galerien geworden. Vor allem für
neue Kunst gibt es ein Podium:
Kunstmesse »Art Cologne« (oben),
im Rheingarten (Mitte), Museum
Ludwig (unten).

Cologne is considered one of the
most important addresses for
artists and art galleries. Modern art
especially enjoys a healthy interest,
as the art fair »Art Cologne«
(above), the Rhine Gardens (centre)
and the Museum Ludwig (below)
show.

La ville de Cologne est devenue
l'une des meilleures adresses pour
les artistes et les galeries. L'art
moderne, en particulier, a sa propre
scène: La foire artistique »Art Cologne« (en haut), le Rheingarten (au
centre), le Musée Ludwig (en bas).

*Die »fünfte Jahreszeit«:
Karneval – ganz Köln feiert auf der
Straße.*

*Cologne's »fifth season«: during
»Carneval«, entire Cologne takes to
the streets and celebrates.*

*La »cinquième saison«: Tout
Cologne fête le carneval dans la rue.*

Oben: Das Bonner Rathaus.
Unten und Seite 140: Schloß Augustusburg diente heute der Bundesre-
gierung als Repräsentations- und
Empfangsgebäude.

Above: Bonn's town hall.
Below and page 140: Today,
Augustusburg Palace is used by the
government to receive guests and
heads of state.

En haut: L'hôtel de ville de Bonn.
En bas et page 140: Aujourd'hui, le
gouvernement fédéral reçoit ses
invités de marque dans l'Augustusburg.

141

Unten: Die 50er Jahre im Haus der Geschichte, Bonn.

Below: The Fifties in Bonn's »Haus der Geschichte« or History Museum.

En bas: Les années 50 – Haus der Geschichte (Maison de l'Histoire) à Bonn.

Oben und unten: Die 90er Jahre –
die Bundeskunsthalle in Bonn.

Above and below: The Nineties –
Bonn's National Art Gallery.

En haut et en bas: Les années 90 –
Bundeskunsthalle à Bonn.

Von Mehlem setzt die Fähre über den Rhein nach Königswinter.

A ferry crossing the Rhine from Mehlem to Königswinter.

Le bac permet de traverser le Rhin entre Mehlem et Königswinter.

Der Blick vom Drachenfels auf Rhöndorf, den ehemaligen Wohnsitz Konrad Adenauers.

Looking down from Drachenfels mountain over Rhöndorf, where Konrad Adenauer used to live.

Vue du Drachenfels sur Rhöndorf, l'ancien domicile de Konrad Adenauer.

Oben: Die Eifel bei Ormont
Rechts: Monschau liegt harmonisch
eingebettet in der Landschaft des
Hohen Venns und ist bekannt für
seine vielen Fachwerkbauten.

Above: The Eifel near Ormont.
Right: Comfortably nestling
against the hills of the surrounding
Hohe Venn, Monschau is well-
known for its many timber-framed
buildings.

En haut: L'Eifel, près d'Ormont.
A droite: La ville de Monschau est
harmoniquement encastrée dans
le paysage du Hohe Venn et
est connue pour ses nombreuses
maisons à colombage.

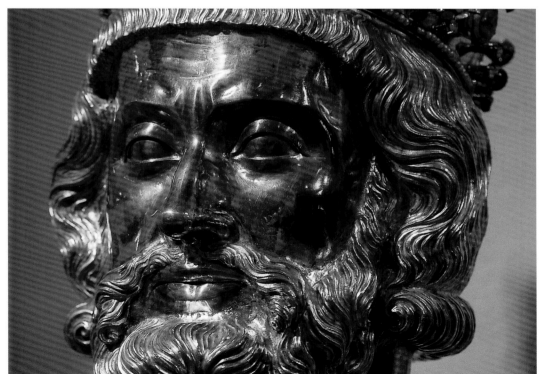

Im Münster zu Aachen, unter Karl dem Großen (unten) errichtet, wurden von 936 bis 1531 die deutschen Könige inthronisiert.

From 936 to 1531, Germany's kings were enthroned in Aachen Minster, founded by Emperor Charlemagne (below).

De 936 à 1531, les rois allemands furent intronisés dans la cathédrale d'Aix-la-chapelle, qui fut construite sous l'empereur Charlemagne (en bas).

Kleine Landeskunde

North Rhine-Westfalia in brief
Portrait du Rhénanie-Westphalie

Enea Silvio Piccolomini

Wenn schon die Menschen erstaunen, sobald sie von ferne aus ragendem Bergkamm die Masse von Florenz und die Fülle der umliegenden Villen erblicken, was sollen sie erst hier tun, wenn sie auf dem Rheine fahrend, vom Schiffsdeck aus, diese Zierde bunter Villen und diese langen Reihen von Gebäuden schauen? Zumal sie doch nicht wie bei Florenz an einem einzigen Tage hindurchziehen, sondern drei Tage lang oder gar noch länger, stündlich, jeden Augenblick, das Unerhörte und Wunderbare erleben!

Papst Pius II (1438)

Bonn

Mein Vaterland, die schöne Gegend, in der ich das Licht der Welt erblickte, ist noch immer so schön und deutlich vor meinen Augen, als da ich Euch verließ; kurz, ich werde die Zeit als einer der glücklichsten Begebenheiten meines Lebens betrachten, wo ich Euch wiedersehen und unseren Vater Rhein begrüßen kann.

Ludwig van Beethoven

Enea Silvio Piccolomini

If people gasp in awe when, standing atop a mountain ridge, they see the sprawling mass of Florence and the great number of surrounding villas in the distance, how indeed are they supposed to react when, travelling along the Rhine, they espy this richness of colourful villas and row upon row of buildings from the deck? For unlike Florence, they are unable to pass through in one day; moreover, they shall need three or more, and will experience hourly, at every turn, things both incredible and wonderful!

Pope Pius II (1438).

Enea Silvio Piccolomini

Les gens s'étonnent dès qu'ils aperçoivent de loin, du haut d'une colline, la masse de Florence et les villas environnantes; que feraient-ils donc ici, s'ils naviguaient sur le Rhin et voyaient, depuis le pont du bateau, cette parure de villas de différentes couleurs et ces longues rangées de bâtiments? D'autant plus que l'on ne traverse pas la région en une seule journée, comme à Florence, mais pendant trois jours ou plus, et qu'à chaque heure, à chaque instant, on vit des choses inouïes et merveilleuses!

Pape Pie II (1438)

Bonn

Mon pays natal, la belle région dans laquelle je suis venu au monde, est toujours aussi belle et aussi présente à mes yeux que quand je vous ai quitté; bref, l'instant où je vous reverrai et pourrai saluer notre père le Rhin sera pourmoi l'un des plus heureux de ma vie.

Ludwig van Beethoven.

Oben: Beschauliche Ruhe an einem Altrheinarm bei Xanten.
Links: Reger Schiffsverkehr bei Emmerich.

Above: Peace and quiet on a lazy Rhine backwater near Xanten.
Left: Busy river traffic near Emmerich.

En haut: Vie paisible près d'un bras du vieux Rhin, près de Xanten.
A gauche: Trafic fluvial intense près d'Emmerich.

Über das Rheinische

Die Fülle, Vollständigkeit und Ganzheit der rheinischen Landschaft ist es, die den Charakter des rheinischen Volkes aus lauter doppelten, gleichsam rechts- und linksfertigen Bestandteilen zusammengesetzt und durch die natürliche, fruchtbare Schönheit des Landes zur Form gebildet und oft ins Freudige gesteigert hat. Sie hat ihm seine Leichtbeweglichkeit gegeben, aber auch das Irdene, Derbe und die verborgene Schwermut, die den hypnotischen Funken des Weines liebt wie den zerstreuten Sonnenglanz der Landschaft und die Sage von den fischschwänzigen Töchtern des Stromes.

Alfons Paquet

Am Niederrhein
Wallfahrt nach Kevelaer

Es ruhet ein puritanischer Geist auf der Wallfahrt von Kevelaer, und der lautlose Ernst der gläubigen Menge erinnert uns, daß wir hier schon auf dem Boden der ehemaligen spanischen Niederlande stehen, während uns das tirolische und südbayerische Wallfahrtsgetümmel gar

Bonn

My fatherland, beautiful region where I first saw the light of day, you are still as clear and beautiful in my eyes as when I left you. I will consider the time when I may greet you and Father Rhine again as one of the happiest events in my life.

Ludwig van Beethoven

The Rhine

It is the wealth, unity and completeness of the Rhine landscape, a landscape pieced together from many duplicate parts on the left and the right of the river and shaped by the natural, fertile beauty of the area, which has formed the character of the Rhineland people and been the cause of much pleasure. This landscape has given them freedom of movement, but also those earthly, coarse, almost crude qualities and a hidden melancholy, which loves the hypnotic sparkle of wine as much as the scattered, blazing heat of the sun on the fields and rivers and the legends of mermaid-like daughters of the tides.

Alfons Paquet

A propos de la Rhénanie

C'estla diversité, l'intégrité et la perfection du paysage rhénan qui ont composé le caractère du peuple rhénan avec toutes sortes d'éléments doubles, et l'ont formé grâce à la beauté naturelle et féconde du pays, allant même jusqu'à l'intensifier jusqu'à lui donner la jovialité. Elles lui ont donné sa mobilité, mais aussi son caractère terrestre, sa vigueur et sa mélancolie secrète, qui aime l'étincelle hypnotique du vin, l'éclat diffus du paysage et la légende des filles-sirènes du fleuve.

Alfons Paquet.

Le Rhin inférieur
Pélerinage à Kevelaer

Un esprit puritain repose sur le pélerinage de Kevelaer, et la gravité silencieuse de la foule de croyantsnous rappelle que nous nous trouvons déjà sur le sol des anciens Pays-Bas espagnols, alors que le tumulte des pélerinages tyroliens et bavarois nous élève légèrement au-delà des montagnes, vers l'Italie voisine.

Wilhelm Heinrich Riehl (1823-1897)

Fläche: 34 072 km^2
Einwohner: 17,8 Millionen
522 Einwohner je km^2
Landeshauptstadt: Düsseldorf
Verwaltungsstruktur:
5 Regierungsbezirke (Düsseldorf, Köln, Münster, Detmold, Arnsberg)
23 Kreisfreie Städte, 31 Landkreise, 396 Gemeinden

Area: 34.072 km^2
Number of inhabitants: 17.8 million
522 inhabitants per km^2
State capital: Düsseldorf
Administrative system:
5 centres of regional government (Düsseldorf, Cologne, Münster, Detmold, Arnsberg)
23 self-administrating towns and cities
31 administrative districts (comprising smaller towns, villages and surrounding areas) 396 municipalities

Surface: 34 072 km^2
Habitants: 17,8millions
522 habitants au km^2
Capitale: Düsseldorf
Structure administrative:
5 circonscriptions (Düsseldorf, Cologne, Münster, Detmold, Arnsberg)
23 villes s'administrant de manière autonome
31 districts ruraux
396 communes

leicht über die Berge in das benachbarte Italien entrückt.

Wilhelm Heinrich Riehl (1823-1897)

Die Landeshauptstadt
Nett, reinlich, wohlhabend, wohlgebaut: Düsseldorf

Welch ein himmelweiter Unterschied zwischen Köln und diesem netten, reinlichen, wohlhabenden Düsseldorf! Eine wohlgebaute Stadt, schöne massive Häuser, gerade und helle Straßen, tätige wohlgekleidete Einwohner: wie erheitert das nicht dem Reisenden das Herz! Vor zwei Jahren ließ der Kurfürst einen Teil der Festungswerke demolieren und erlaubte seinen Untertanen, auf dem Platze zu bauen. Jetzt steht schon eine ganze neue Stadt von mehreren langen, nach der Schnur gezogenen Straßen da; man wetteifert miteinander, wer sein Haus am schönsten, am bequemsten bauen soll; die angelegten Kapitalien belaufen sich auf sehr beträchtliche Summen, und in wenigen Jahren wird Düsseldorf noch einmal so groß, als es war, und um vieles prächtiger sein.

Georg Forster (1790)

Die alten Fastnachtsgilden und Nachbarschaften
Die freiwilligen Vereinigungen zu gegenseitiger Wehr und Hülfe nennt man in Westfalen Fastnachtsgilden und Nachbarschaften. Ist die Landgemeinde oder Bauernschaft groß und dicht bevöl-

On the Lower Rhine
Pilgrimage to Kevelaer

A Puritanical spirit presides over a pilgrimage to Kevelaer, and the silent gravity of the pious crowds reminds us that we stand on ground once belonging to the Spanish Low Countries, and that Tyrolean, South Bavarian pilgrimage

La capitale
Jolie, proprette, aisée, bien construite: Düsseldorf

Quelle énorme différence entre Cologne et cette jolie ville Proprette et aisée de Düsseldorf! Une ville bien faite, avec de belles maisons solides, des rues droites et claires, des habitants actifs et bien

Oben: Soest – Wohnen in alten Fachwerkhäusern.
Unten: Minden, ehemalige Bischofs- und Hansestadt.

Above: Soest – life in old timber-framed houses.
Below: Minden, a former diocesan and Hanseatic town.

En haut: Soest – Vieilles maisons à colombage.
En bas: Minden, ancienne ville épiscopale et hanséatique.

153

kert, dann teilt sie sich in zwei, drei oder mehrere Fastnachtssprengel, andernfalls umschließt alle Insassen das gemeinsame Band. Die einzelnen Fastnachtssprengel sind wieder in Nachbarschaften gegliedert. Not, plötzliche Unfähigkeit, dem Geschick mit eigener Hand zu trotzen auf der einen, uneigennützige Nächstenliebe auf der anderen Seite und in stetem Wechsel, haben die Pflichten der Nachbarschaft ausgestaltet und sie zu Gesetzen erhoben, die strenger befolgt werden, als wenn sie durch den Staat erlassen worden wären.

Friedrich Kampmann

Die Westfalen

Da geht jeder still und beharrlich seinen Geschäften nach, ohne sich viel um das Getriebe der Welt und um der Parteien Gezänk zu kümmern. Nirgendwo findet man ein hastiges Ueberstürzen, ein Rennen und Jagen nach Glück und irdischem Besitz; jegliches Thun und Handeln wird mit Besonnenheit ausgeführt, dann aber auch, wenn es als gut und zweckdienlich erkannt ist, mit äußerster Zähigkeit verfolgt und festgehalten. Meistens nähren sich die Leute von Ackerbau und Viehzucht, vielfach wird auch als Nebenbeschäftigung irgend

hurly-burly gently slips away over the mountains into neighbouring Italy.

Wilhelm Heinrich Riehl (1823-1897)

The state capital
Pleasant, clean, wealthy, well-built: Düsseldorf

What a great difference there is between Cologne and this pleasant, clean, wealthy Düsseldorf! A well-built town, with beautiful great houses, with level, well-lit streets, with busy, well-dressed citizens: how it quickens the heart of the traveller! Two years ago, the electoral prince ordered part of the fortress to be destroyed and granted his subjects permission to build on this land. This is now a new town with many long, straight streets; people contend with one another as to who can make his house the most beautiful, the most comfortable; invested capital amounts to very pretty sums of money, and in a few years, Düsseldorf will be as large as it once was, and much more splendid.

Georg Forster (1790)

vêtus: comme cela égaie le coeur du voyageur! Il y a deux ans, le prince-électeur fit démolir une partie des fortifications et permit à ses sujets de construire sur la place. Maintenant, il y a déjà une ville entièrement nouvelle, avec plusieus rues tirées au cordeau; on rivalise déjà pour savoir qui construira la plus belle et la plus confortable maison; les capitaux investis se montent à des sommes considérables, et dans quelques années Düsseldorf sera deux fois plus grande qu'avant et encore bien plus belle.

Georg Forster (1790)

Les anciennes guildes de carnaval et les voisinages

En Westphalie, les associations volontaires de secours mutuel sont appelées »guildes de carnaval« et »voisinages«. Si la commune rurale ou association de paysans est étendue et fortement peuplée, elle est alors divisée en deux ou trois districts (ou plus), autrement tous les habitants sont englobés dans la commune. Les divers districts sont à leur tour divisés en voisinages. La détresse, l'incapacité soudaine de maîtriser son destin tout seul, d'une part, la charité désintéressée, d'autre part, le tout en alternance, ont développé les devoirs des voisinages et en ont fait des lois, qui sont suivies plus strictement que si elles avaient été décrétées par l'Etat.

Friedrich Kampmann

Les Westphaliens

Chacun vaque tranquillement et avec persévérance à ses occupations, sans s'Occuper beaucoup du train du monde et des querelles de partis. Nulle part on ne rencontre précipitation, chasse au bonheur et aux possessions terrestres; toute action se fait avec réflexion et pru-

eine Hausindustrie geübt, z.B. Handweberei, Wannenflechterei ec. Die weiblichen Familienmitglieder suchen im Winter jede überflüssige Minute am Spinnrade auszunutzen, und sowohl in den Häusern der Bauern als auch der Kötter und Heuerlinge hört man das Rädchen in jener Jahreszeit den ganzen Tag über schnurren. Nicht nur für den eigenen Bedarf wird Leinwand angefertigt; große Kisten und Schränke werden mit diesen schweren und kostbaren Rollen gefüllt, und es ist der Frauen und Töchter größter Stolz, wenn sie dem Fremden die leinengefüllten Truhen zeigen können. In manchen Häusern steckt ein solcher Vorrat von diesen Stoffen, daß er ein kleines Vermögen repräsentiert.

Friedrich Kampmann, 1899

The old carnival guilds and »neighbourhoods«

In Westphalia, non-contentious societies founded for the purpose of offering mutual help and support are called »carnival guilds« and »neighbourhoods«. If the country or farming community is large and densely populated, then it is divided into two, three or more carnival or »Fastnacht« parishes; otherwise, one joint society serves all the inhabitants. The individual parishes are divided up into »neighbourhoods«. Need, emergencies, sudden incapacity, constantly defying Fate on the one hand, yet displaying unselfish brotherly love on the other have moulded the duties of a neighbourhood; these have become laws which are heeded more closely than if they had been drawn up by the State.

Friedrich Kampmann

dence, mais quand il a été reconnu qu'elle est bonne et utile, elle est exécutée avec une grande opiniâtreté. La plupart du temps, les gens se nourrissent avec les produits de l'agriculture et de l'élevage, et exercent en outre une activité secondaire, une industrie à domocile quelconque comme le tissage à la main, le tressage, etc. En hiver, les femmes de la famille cherchent à profiter de chaque minute libre pour filer, et l'on entend ronfler le rouet toute la journée, à tout moment de l'année, aussi bien dans les maisons des fermiers que dans celles des journaliers et des métayers. On fabrique de la toile pour couvrir ses propres besoins, mais on remplit aussi de grandes caisses et armoires avec ces rouleaux lourds et précieux; et mères et filles sont très fières de pouvoir monter leurs coffres pleins de toile aux visiteurs. Dans certaines maisons, les réserves d'étoffes sont telles qu'elles représentent une petite fortune.

Friedrich Kampmann, 1899

Links: Ein Schiffshebewerk bei Henrichenburg.

Left: A ship hoist near Henrichenburg.

A gauche: Elévateur de bateaux près de Henrichenburg.

The Westphalians

In Westphalia, everyone quietly and steadfastly goes about his duty, untroubled by the ways of the world and the bickering of various parties. Nowhere will you find people in haste, chasing after happiness and worldly wealth; all deeds are performed with the utmost calm, and, if considered good and appropriate, pursued and held fast with extreme tenacity. The Westphalians live from agriculture and stock breeding, often running some branch of home industry as a second occupation, such as weaving or basketwork, etc. In the winter, female family members spend every spare minute at the spinning wheel, and in every farmhouse, cottage and shack you can hear the humming of the wheel all day at all times of the year. Yet here this canvas is not being produced for private use; these heavy, costly rolls of cloth are stored away in large trunks and cupboards and it is with great pride that the wives and daughters show off the canvas-filled chests to visitors. Some houses hide such quantities of these materials that one can speak of a small fortune.

Friedrich Kampmann, 1899

Die höchsten Erhebungen	The highest points are:	Points culminants:
Langenberg: 843 Meter	Langenberg: 843 metres	Langenberg: 843 mètres
Kahler Asten: 841 Meter	Kahler Asten: 841 metres	Kahler Asten: 841 mètres
Hunau: 818 Meter	Hunau: 818 metres	Hunau: 818 mètres
Schloßberg: 790 Meter	Schloßberg: 790 metres	Schloßberg: 790 mètres
Härdler: 756 Meter	Härdler: 756 metres	Härdler: 756 mètres
Weißer Stein: 690 Meter	Weißer Stein: 690 metres	Weißer Stein: 690 mètres
Oberste Henne: 676 Meter	Oberste Henne: 676 metres	Oberste Henne: 676 mètres

Oben: Schloß Augustusburg in Brühl.
Unten: Villa Hammerschmidt in Bonn.

Above: Augustusburg Palace in Brühl.
Below: Villa Hammerschmidt in Bonn.

En haut: L'Augustusburg à Brühl.
En bas: La Villa Hammerschmidt à Bonn.

Register
Alphabetical Index
Index Alphabétique

Dümmer
Lembruch
Uchte
Steinhuder
Meer
Bramsche
Lemförde
Rahden
Steinhude
Wunstorf
Mittellandkanal
Bohmte
Espelkamp
Mittellandkanal
Bad
Nenndorf
nburger
Lübbecke
Minden
Stadthagen
Ibbenbüren
OSNABRÜCK
Wittengebirge
Porta
Westfalica
Bückeburg
Georgs-
marienhütte
Bünde
Bad
Oeynhausen
WESERGEBIRGE
SÜNTEL
Lengerich
Herford
Vlotho
Land
Jöllenbeck
Bad
Salzuflen
Hameln
N-
Versmold
BIELEFELD
Lemgo
VESER
Sassenberg
*T*E*U*T*O*B*U*R*G*E*R*
Detmold
Bad
Pyrmont
MÜNSTER
Warendorf
Gütersloh
-Bad
Meinberg
Emmer
rland
Rheda-
Wiedenbrück
*W*A*L*D*
Horn
Steinheim
Ahlen
Delbrück
Höxter
Beckum
Paderborn
Bad Driburg
Brakel
HAMM
EGGE-GEBIRGE
Lippstadt
Geseke
Beverungen
Lippe
Bad
Sassendorf
Pelkum
Anröchte
Büren
Warburger
Werl
Soest
Warburg
aarstrang
Rüthen
Hofgeismar
Unna
Möhnesee
Marsberg
Diemel
Börde
Neheim-
Hüsten
Warstein
Menden
Arnsberg
Brilon
Arolsen
serlohn
Meschede
Olsberg
KASSEL
Sorpesee
Henne-
stausee
uenrade
land
Willingen
Baunatal
Plettenberg
Korbach
EBBEGEBIRGE
Finnentrop
Winterberg
Waldeck
Edersee
Fritzlar
Schmallenberg
Kahler Asten
841
Eder
Attendorn
Lennestadt
Bad
Wildungen
Bigge-
stausee
Lenne
ROTHAARGEBIRGE
Frankenberg
Homberg
Olpe
ause
Bad
Berleburg
Eder
GEBIRGE
Sieger
Kreuztal
Bad
Laasphe
RGEBIRGE
SIEGEN
Biedenkopf
Kirchhain
Neustadt
Land
Wissen
Marburg
Dillenburg
Alsfeld
Haiger
Ohm
HESSEN
Herborn
Lollar
Lauterbach
terwald
Rennerod
Grünberg
Wetzlar
VOGELSBERG
Weilburg
Gießen
Lich
Taufstein
774
Montabaur
Hadamar
Hungen
Elz
Butzbach
Nidda
NZ
Limburg
Bad Nauheim

159

Schutzumschlag vorne: Köln.
Schutzumschlag hinten: Westfälisches
Freilichtmuseum in Detmold.

Front dust jacket: Cologne
Back dust jacket: Historical Museum,
Detmold.

Première de couverture: Cologne.
Dos de couverture: Musée historique,
Detmold.

Alle Rechte vorbehalten
© 1996 Stürtz Verlag GmbH, Würzburg
Text: Günther Elbin
Kartographie: Wolfgang Mohrbach,
München
Übersetzung ins Englische: Ruth Chitty
Übersetzung ins Französische:
Marie-Anne Trémeau-Böhm
Gesamtherstellung: H. Stürtz AG,
Würzburg
Printed in Germany
ISBN 3-8003-726-X

Die Deutsche Bibliothek -
CIP-Einheitaufnahme
Nordrhein-Westfalen / Günther Elbin
Würzburg : Stürtz, 1996
ISBN 3-8003-0726-X
NE: Elbin, Günther

Bildnachweis

Markus Dworaczyk: S. 6/7, 13 links, 26,
28 unten, 34, 36 rechts, 37, 38, 39 oben,
40/41, 44 oben links, 44 oben rechts,
44/45 Mitte, 45 oben links, 45 oben
rechts, 63 oben, 86 unten links, 90 oben,
110 unten, 135 oben, 138 Mitte links,
138 unten links, 139 unten, 141 oben.

Jörg Axel Fischer: S. 5, 55, 57 rechts, 58,
59 links, 59 rechts, 60, 63 unten, 65 oben,
65 unten, 66 unten, 68, 69 oben,
69 unten, 72, 73, 74 oben, 74 unten,
100, 101, 102 oben, 102 unten, 103, 105
links, 105 Mitte, 105 rechts, 106, 109
oben, 109 unten.

Holger Klaes: S. 1, 2, 8, 10, 11 unten, 12,
22/23 oben, 30/31, 48, 50, 51 oben, 51
unten, 52/53, 54, 56, 61, 62, 64 oben,
64 unten, 66/67 oben, 67 unten, 70/71
oben, 70 unten, 71 unten, 75, 82, 83, 85,
90 unten, 90/91, 92, 94/95 oben, 94
unten, 96, 97, 104 links, 104 rechts, 108,
110/111 oben, 111 unten, 112/113, 114,
115 oben, 115 unten, 116 oben,
116 unten, 117, 118, 119 oben, 120, 121.

Archiv R. Kiedrowski: S. 3, 13, rechts,
14 unten, 16/17 oben, 17 unten, 18,
19 oben, 20, 21 links, 21 rechts oben,
21 rechts unten, 23 unten, 27 oben,
27 unten, 28 oben, 29, 32, 33, 35, 36 links,
39 unten, 41 oben, 41 unten, 42, 44 unten
links, 46 links oben, 46 links unten,
46/47, 49, 57 links, 76/77, 80 oben,
80 unten, 81 links, 81 Mitte, 81 rechts,
84 links, 84 rechts, 86/87 oben, 86 unten
rechts, 87 unten, 88/89, 93 oben, 107, 119
unten, 122/123, 127 unten, 132, 134/135,
140, 141 unten, 147, 148, 149 oben,
149 unten, 150, 151, 152, 153 oben,
153 unten, 154, 155, 157, 157 oben,
157 unten.

Jörn Sackermann: S. 4, 9, 11 oben, 14
oben, 15, 16 unten links, 16 unten rechts,
19 unten, 22 unten, 24/25, 43 oben, 43
unten, 78, 79, 93 unten, 95 unten, 98/99,
113 oben, 113 Mitte, 113 unten, 124, 125,
126, 127 oben, 128 links, 128 rechts, 129,
130, 131 oben, 131 unten, 133 links,
133 rechts, 135 unten, 136 oben,
136 rechts Mitte, 136 unten links,
136 unten rechts, 137 oben, 137 Mitte,
137 unten, 138 oben rechts, 138 oben
Mitte, 138 unten Mitte, 138 unten rechts,
139 oben, 142/143 oben, 142 unten,
143 unten, 144, ,145, 146.